Tous Continents

SAUVE-MOI
COMME
TU M'AIMES

De la même auteure

Pour adultes
Le Roman de Sara, Montréal, Québec Amérique, coll. Tous Continents, 2000.

Pour adolescents
SÉRIE SARA
 Titre marquant des 25 dernières années choisi par le personnel de la Bibliothèque centrale de Montréal.
La Chambre d'Éden, tome 2, Montréal, Québec Amérique Jeunesse, coll. Titan, 1998.
 • PRIX LIVROMANIE
 • PRIX DU LIVRE M. CHRISTIE, SCEAU D'ARGENT
 • LIVRE PRÉFÉRÉ DES JEUNES DE 12-17 ANS AU PALMARÈS DE COMMUNICATION-JEUNESSE 1999-2000
La Chambre d'Éden, tome 1, Montréal, Québec Amérique Jeunesse, coll. Titan, 1998.
 • PRIX LIVROMANIE
 • PRIX DU LIVRE M. CHRISTIE, SCEAU D'ARGENT
 • LIVRE PRÉFÉRÉ DES JEUNES DE 12-17 ANS AU PALMARÈS DE COMMUNICATION-JEUNESSE 1999-2000
La Deuxième Vie, Montréal, Québec Amérique Jeunesse, coll. Titan, 1994.
 • PRIX LIVROMANIE
La Lumière blanche, Montréal, Québec Amérique Jeunesse, coll. Titan, 1993.
 • PRIX LIVROMANIE, COUP DE CŒUR AU SONDAGE DE COMMUNICATION-JEUNESSE
 • LIVRE PRÉFÉRÉ DES JEUNES DE 12-17 ANS AU PALMARÈS DE COMMUNICATION-JEUNESSE 1994-1995

SÉRIE MANDOLINE
L'Empreinte de la corneille, Montréal, Québec Amérique Jeunesse, coll. Titan+, 2004.
La Chute du corbeau, Montréal, Québec Amérique Jeunesse, coll. Titan+, 2003.
 • PRIX DU SALON INTERNATIONAL DU LIVRE DE QUÉBEC, CATÉGORIE JEUNESSE.
 • PRIX DU LIVRE M. CHRISTIE, SCEAU D'ARGENT
 • DEUXIÈME POSITION AU PALMARÈS COMMUNICATION-JEUNESSE
   DES LIVRES PRÉFÉRÉS DES 12-17 ANS 2004-2005

Pour enfants
SÉRIE ANIQUE ET LE VILLAGE FABULEUX
Anique et Irénée la sirène, ill. Céline Malépart, Saint-Lambert, Dominique et compagnie, coll. À pas de
   loups, 2006.
Anique-Hasarius Lapupuce, ill. Céline Malépart, Saint-Lambert, Dominique et compagnie, coll. Roman
   rouge, 2006.
La Dame et la licorne, Saint-Lambert, Dominique et compagnie, coll. Roman rouge, 2004.
Marie Louve-Garou, Saint-Lambert, Dominique et compagnie, coll. Roman rouge, 2003.
Izidor Suzor, Saint-Lambert, Dominique et compagnie, coll. Roman rouge, 2002.
 • PRIX CHRONOS VACANCES (FRANCE)
Lancelot, le dragon, Saint-Lambert, Dominique et compagnie, coll. Roman rouge, 2000.

Lysista et le château/Miro et le château, Montréal, Québec Amérique Jeunesse, coll. Bilbo, 2002.
 • PRIX DU LIVRE M. CHRISTIE, SCEAU D'ARGENT
Gaston-le-Grognon, Montréal, Québec Amérique Jeunesse, coll. Gulliver, 2001.

Album
Cendrillon, ill. Gabrielle Grimard, Imagine, coll. Contes classiques, 2006.
La fée des bonbons, ill. Marie Lafrance, Saint-Lambert, Dominique et compagnie, 2005.

ANIQUE POITRAS

SAUVE-MOI
COMME
TU M'AIMES

QUÉBEC AMÉRIQUE

Catalogage avant publication de Bibliothèque et Archives nationales du Québec et Bibliothèque et Archives Canada

Poitras, Anique
Sauve-moi comme tu m'aimes
(Tous continents)
Doit être acc. d'un disque son.

ISBN 978-2-7644-0425-6

I. Titre. II. Collection.
PS8581.O243S28 2005   C843'.54   C2005-941588-6
PS9581.O243S28 2005

Conseil des Arts   Canada Council
du Canada   for the Arts

SODEC
Québec ⠶

Nous reconnaissons l'aide financière du gouvernement du Canada par l'entremise du Programme d'aide au développement de l'industrie de l'édition (PADIÉ) pour nos activités d'édition.

Gouvernement du Québec – Programme de crédit d'impôt pour l'édition de livres – Gestion SODEC.

Les Éditions Québec Amérique bénéficient du programme de subvention globale du Conseil des Arts du Canada. Elles tiennent également à remercier la SODEC pour son appui financier.

Québec Amérique
329, rue de la Commune Ouest, 3e étage
Montréal (Québec) Canada H2Y 2E1
Téléphone: 514 499-3000, télécopieur: 514 499-3010

Dépôt légal : 4e trimestre 2005
Bibliothèque nationale du Québec
Bibliothèque nationale du Canada

Mise en pages : André Vallée – Atelier typo Jane
Révision linguistique : Danièle Marcoux
Réimpression : octobre 2008

Imprimé au Canada

Table des matières

À Jean

Préface
Morceaux d'histoire vraie
avant la fiction

La vie n'en est pas à un mystère près, c'est bien connu. Du moins, c'est bien connu de moi.

C'est un matin de grand jour et je suis très nerveuse : je m'apprête à commencer la rédaction d'un nouveau roman.

Trois ans auparavant, Mandoline, personnage secondaire dans *Le Roman de Sara*, m'avait demandé de raconter son histoire. Ce n'était pas du tout dans mes intentions. J'avais d'autres projets. Mandoline est revenue à la charge : me suppliant, me harcelant puis menaçant de m'empêcher de dormir.

J'ai fini par capituler... Après une lutte acharnée qui a duré un an et demi. J'ai consacré l'année suivante au travail préparatoire de ce roman : recherche, bible des personnages, synopsis détaillé, plan et découpage scénique.

Le temps de raconter cette histoire est venu. Installée à ma table de travail, je ressens les effets d'un cocktail d'émotions très puissant : fébrilité, peur, excitation.

D'habitude, j'entends parler mes personnages. Mais là, rien. Pas un mot. J'entends de la musique. Bizarre.

Je persiste à essayer d'écrire : pas un mot. J'essaie de m'encourager : pas un mot. Je me décourage. Et je deviens très en colère contre Mandoline qui s'est permis de chambouler mes projets d'écriture. Ce personnage, si doué pour menacer une romancière, reste muet quand sonne l'heure de raconter son histoire ! « Poule mouillée ! Tu me fais suer ! » que je lui hurle dans ma tête !

Mandoline ne réplique pas.

J'entends de la musique. Je panique. Je pense que je suis en train de devenir folle.

Quelques matins d'angoisse plus tard, les hommes de ma vie quittent la maison pour l'école et le boulot, comme d'habitude, à 7 heures 45. Sans réfléchir, je me dirige vers le piano, dépose ma tasse de café, m'assois.

Soudain, on dirait que ma vessie va éclater. Il est 15 heures 15. J'ai passé sept heures et demie assise sur ce banc. Je suis sonnée.

Où suis-je allée? Je sais que c'était un pays de larmes et de mélodies. Je sais aussi que je reviens de cet étrange voyage avec une quinzaine de motifs musicaux : berceuse, blues, tango.

J'ai presque peur de ce qui vient de se passer. Mais je dois m'habiller en vitesse et aller chercher mon fils à l'école.

Le lendemain matin, après le départ des hommes de ma vie, je ne monte pas à mon bureau. Je retourne au piano. Comme la veille, la musique s'empare de moi. Je joue. Je pleure. Je joue et je pleure.

Ce rituel, je l'accomplis pendant un mois. Je ne comprends pas ce qui se passe, mais on dirait que je me nettoie de quelque chose. Comme si les notes frottaient mon âme à grands coups de laine d'acier.

Puis un matin, je ne vais pas au piano. Je m'installe à mon ordinateur, les mots déboulent et je me laisse porter par le souffle. Fiou !

~

Parmi les courriels de mes lecteurs auxquels je viens de répondre, l'un d'eux me touche particulièrement. Il est signé Valérie. Cette jeune femme qui détestait lire a lu *Le Roman de Sara*. « C'est grâce à vous si j'aime lire, maintenant » m'a-t-elle écrit. Puis elle a ajouté : « J'étais un peu comme Mandoline, une petite fille qui a besoin d'attention, qui se réfugie dans la drogue, lâche l'école et couche avec tout le monde pour se sentir bien. »

Valérie m'envoie un deuxième courriel. Cette fois, elle me raconte sa détresse, me demande des réponses à ses nombreux « pourquoi » et termine sur ces mots : « As-tu des conseils à me donner ? »

Il n'y a pas de réponses toutes faites.

On a tous besoin de sentir qu'on est quelqu'un qui va quelque part.

Je n'ai pas de conseils à donner à Valérie, mais je voudrais lui offrir une preuve d'attention et une petite dose d'espérance. Je lui réponds que je comprends sa détresse. Je n'ai pas écrit *Le Roman de Sara* par hasard. *Sauve-moi comme tu m'aimes* n'est pas le fruit du hasard non plus. Je lui confie des bribes de mon histoire qui m'ont menée à créer ces deux héroïnes romanesques, Sara et Mandoline, et je la laisse sur ces mots : « Je pense à toi. »

C'est vrai que je pense très fort à Valérie. Dans quelle mesure pourrais-je l'aider sans outrepasser les limites de mon rôle ? Je suis une romancière, pas une psy. Surtout, je n'ai pas de potion magique pour le bonheur, que ma petite expérience d'ex-ado désespérée et ce qui en a découlé : mon amour et mon espoir, que je partage, entre autres, dans des histoires inventées.

Soudain, j'ai une illumination. J'en ferai part à Valérie : « Tu t'identifies à Mandoline ? J'ai besoin de toi. À cause de ton expérience, tu peux m'aider. Veux-tu faire partie de mon comité de lecture ? » Puis, au lieu d'aller à mon bureau, je passe par mon piano. Tout va très vite. Sur l'un des motifs de cette musique qui m'est venue malgré moi, je crache les paroles d'une chanson en deux temps : *La Chute du corbeau* et *L'Empreinte de la corneille**. C'est la chanson de Mandoline. Mais c'est en pensant à Valérie que je l'ai écrite. C'est la chanson de Valérie.

Je branche Internet pour envoyer à Valérie les paroles que je viens d'écrire en pensant à elle. Un courriel de Valérie m'attend dans ma boîte : « Tu m'as dit que tu ne m'oublierais pas, mais je

---

* Les paroles de la chanson sont à la page 379.

crois que c'est déjà fait. » Je lui réponds : « Non, je ne t'oublie pas. La preuve, tu la trouveras dans le document ci-joint... Petite suggestion amicale : ne juge pas trop vite, d'accord ? » Elle me répond : « Je m'excuse d'avoir pensé que tu m'oubliais. Les paroles de la chanson me touchent beaucoup. Je ne peux retenir mes larmes en lisant ces lignes. »

~

Un jour, je glisse dans une conversation avec mon éditrice : « Anne-Marie, est-ce que je t'ai dit que j'avais la bande sonore de mon roman ? »

— Je ne savais pas que tu étais musicienne, me répond-elle, étonnée.

— Je ne suis pas une vraie musicienne. Mais, le processus créateur est parfois bien étrange...

~

Vous connaissez la genèse de la chanson en deux temps. Un mot, maintenant, sur le tango. Née dans les bas-fonds, cette musique qui a gagné ses lettres de noblesse est une métaphore de l'héroïne de *Sauve-moi comme tu m'aimes*.

Le tango que j'ai composé est un Pont-La-Peur qu'un personnage de mon imagination doit traverser dans une histoire inventée. J'aime m'imaginer que c'est aussi un pont pour relier nos âmes et sur lequel vous danserez... dans la réalité.

~

Lorsque j'ai demandé à Valérie ce qu'elle pensait de mon idée de parler de notre rencontre dans la préface de mon roman, elle m'a répondu : « Je pense que ça peut donner de l'espoir. J'en suis sûre et certaine. » C'est pour cette raison que j'ai tendu la main à Valérie. C'est pour cette raison que j'écris des romans. C'est pour cette raison, aussi, que j'ai accepté de chanter la chanson de Mandoline et de Valérie, même si ça me terrorisait. Je suis une romancière, pas une chanteuse !

À l'heure où j'écris ces lignes, Valérie termine les études secondaires qu'elle avait interrompues. Elle a lu et commenté mon manuscrit. Je suis très fière d'elle. Je suis profondément joyeuse de partager cette page de notre histoire avec vous. Je suis contente d'avoir fait un petit pas, celui que moi, je pouvais faire, pour tendre la main à Valérie.

Valérie qui me rappelait une fille que j'ai bien connue et mal aimée : moi.

~

On dit que la réalité dépasse la fiction. À propos de ces rencontres entre une romancière et une héroïne fictive, entre une lectrice réelle et une romancière, entre un roman et une musique, entre la fiction et la réalité... je dirais plutôt que la réalité a rejoint la fiction, et, main dans la main, elles se sont accompagnées avec bonheur sur un chemin qui dépasse l'entendement. Ma vie n'en est pas à un mystère près. Tant mieux ! Ça met du piquant, comme dans les romans.

Dans deux jours, le 22 mai, j'aurai deux fois vingt-deux ans. Je souris et je fais un vœu : « Que ces rencontres laissent une empreinte d'espérance dans votre cœur. »

Amicalement,

Première Partie
La Chute du corbeau

« Ce monde est la porte fermée.
C'est une barrière, et en même temps
c'est le passage. »
Simone Weil, *Cahiers,* t. III

« Connais-moi ! Connais-moi,
racine, fleur et graine,
Moi toute seule, mes vols d'ange
et mes bonds d'animal,
– Si me connaître toutefois
en vaut la peine –
Démêle en moi le vrai, le faux,
le bien, le mal.

À Toi je m'abandonne, ô lumière suprême,
Disparue à mes yeux dans les tiens où je suis
Seule moi, seule vraie à l'insu de moi-même.
Comme Tu me connais, ô juge de minuit,
Juge-moi !
Mais sauve-moi comme tu m'aimes. »
Marie Noël, *Jugement*, extrait

Un

Une heure quarante. J'allume la radio.
— ... belle nuit chaude. Je vous laisse en compagnie
d'Astor Piazzolla.

— Tais-toi, espèce de con !

Je cloue le bec à l'animateur et je replonge dans ma nuit noire,
mélange de rage, de douleur et d'absence.

Tout avait si bien commencé pourtant. Enfin, entendons-nous !
Après dix-huit ans de drames et de mélodrames, ma vie avait viré
son capot de bord. J'allais bien. De mieux en mieux, disons. Oui,
j'ai eu une enfance lamentable et une adolescence tordue, mais il
y a quelque temps, tout était presque beau.

J'avais cessé de boire et de me droguer. J'étais à l'Éducation des
adultes, pour terminer mes études secondaires. J'assistais aux
réunions des Alcooliques anonymes. J'habitais chez ma marraine
AA. En plus de m'héberger, Claire m'avait déniché un emploi à la
compagnie où elle travaille. Réceptionniste à temps partiel pendant
mon année scolaire et à temps plein, l'été.

Je commençais même à croire à l'amour en lettres majuscules.
Je pouvais mettre un prénom, un visage, une voix et un parfum
sur cet amour. J'avais le sentiment d'avoir gagné à la loterie, le gros
lot des gros lots.

Combien de gars avais-je séduits ? Je n'ose pas les compter.
Mais avec lui, c'était différent. Vraiment. Ce garçon intelligent,
attentif et gentil, désirait me connaître. Et m'aimer. Il n'a pas dit :

«Je t'aime.» Mais ces mots, même s'il ne les a pas prononcés, moi, je les ai vus dans ses yeux, je les ai sentis dans ses mains, je les entendais partout à travers lui. L'ancienne danseuse nue, alcoolique et toxicomane, avait maintenant une vie «normale». Je mets des guillemets parce qu'entre vous et moi, qu'est-ce que ça veut dire, au juste, «une vie normale»?

En tout cas, j'étais emballée par ma nouvelle vie. Tout ce qui m'avait toujours été refusé m'était à présent offert sur un plateau d'argent, avec des fleurs et du soleil. Et de l'espoir en prime.

J'aurais voulu vivre cette histoire d'amour. C'était pourtant ce qui était annoncé dans le programme. Fausse représentation. Je me suis retrouvée en plein thriller psychologique.

J'étais au bord du bonheur, mais mon ennemie jurée, cachée dans l'ombre, voulait ma peau.

Deux

Tous les signes étaient là. C'est moi qui ne les ai pas vus à temps. Souvent, ce sont de petits riens. Ils ont l'air anodins. Pourtant...

Oui, les signes étaient là. À commencer par ce cauchemar et cette erreur de magazine. La veille, pourtant, j'avais remporté une nouvelle victoire. C'était il y a quelques mois. Un jour de mai ensoleillé si chaud qu'on aurait dit l'été.

Cet après-midi-là, je rentre à la maison, si fière de ma victoire : j'ai obtenu mon permis de conduire. Ma marraine AA, occupée à découper des pensées positives à la cuisine, ne m'a pas entendue entrer. Claire est obsédée par les dictons, maximes, proverbes et autres jolies phrases. Elle les affectionne, les collectionne et les sème à tous vents dans la maison. Chez nous, quoi que nous fassions, nous risquons de tomber sur une pensée positive.

Je m'approche de Claire sur la pointe des pieds, donc, et lui brandis mon permis de conduire sous le nez. Elle lâche un cri d'épouvante en bondissant de sa chaise et manque de m'attaquer à coups de ciseau. Dès qu'elle constate que je ne suis pas le voleur qu'elle avait imaginé, elle s'écrie :

— Es-tu folle ?

Le regard fixé sur les ciseaux pointés vers moi, je réplique :

— Je ne sais pas laquelle de nous deux est la plus folle !

Claire dépose les ciseaux sur la table et pouffe de rire. Un rire nerveux. Elle range ses nouveaux trésors spirituels dans son coffre à bijoux-de-mots et quitte la pièce. Je pense qu'elle est fâchée. Quelques secondes plus tard, Claire revient, toute souriante. Elle me tend un petit écrin en velours. Intriguée, je l'ouvre. Couchée sur du satin blanc, une petite corne d'abondance dorée. C'est un porte-clefs gravé de mon prénom avec une clef de sa voiture.

L'attention de mon amie me touche beaucoup.

— Tu veux étrenner ton permis de conduire? me demande-t-elle.

Et elle propose que nous allions manger dans le Chinatown.

Comme elle le fait toujours avant de quitter la maison, Claire s'arrête, dans le vestibule, devant l'affiche des promesses AA épinglée sur le mur. Elle ferme les yeux et laisse son index se poser au hasard sur l'une d'elles. *Nous serons étonnés des résultats même après n'avoir parcouru que la moitié du chemin.*

~

Je conduis : heureuse, fière et sûre de moi. Le repas est joyeux et délicieux.

La serveuse apporte le dessert et le thé. Claire s'empare aussitôt d'un biscuit, le brise puis s'arrache les yeux pour déchiffrer le message.

— Vous enseignez par votre vie, ne l'oubliez pas, me dit-elle en souriant.

Elle dépose le message dans l'assiette en s'éclaircissant la gorge.

— Justement, ma chère filleule AA... C'est moi qui préside les réunions, le mois prochain, et j'aimerais que tu sois l'une de mes conférencières invitées.

Je n'ai encore jamais fait de partage chez les Alcooliques anonymes.

— Je ne sais pas si je me sens prête...

Claire me tend le biscuit. Il me prédit :

Vous cônnaitré bien tot beaucoûp de bonne heure.

Heureux présage, mais bourré d'erreurs.

— Alors, qu'est-ce que tu en dis ? me demande Claire.

— De toute évidence, il y a des gens qui en arrachent plus que moi en français. Ils ont beau faire quarante-douze fautes par phrase, ça ne les empêche même pas de gagner leur vie avec les mots.

— Je te parlais de ma proposition, cocotte.

— Je le sais. J'en dis, j'en dis... que je vais y penser.

~

De retour à la maison, je m'endors rapidement : contente de la soirée, confiante en l'avenir.

Mais au plus noir de la nuit, des images d'horreur me tirent de mon sommeil. Un immense corbeau, perché sur une branche d'arbre sans feuilles, tient un serpent gluant dans son bec. Il avale le serpent et quitte la branche. Il fonce sur moi et s'acharne à me donner des coups de bec à la poitrine. Je me réveille en cherchant mon souffle. Pendant plusieurs secondes, l'oiseau de cauchemar m'empêche même de respirer dans la réalité.

Je ne réussis pas à me rendormir. À l'aube, je me lève.

Trois

C'est un matin de pluie battante et de vent à écorner les bœufs. Je me prépare un café. Il n'y a plus de lait. Je déteste le café noir.

L'orage se calme. Je soulève le couvercle du pot-à-épicerie. Chaque vendredi soir, Claire et moi, nous y déposons les sous pour les achats de la semaine. Un bout de papier trône sur les billets et la monnaie.

Je m'empare de la missive : *Les coïncidences sont les messages anonymes de Dieu. Doris Lessing.* Je souris et j'en oublie mon cauchemar de la nuit.

Je prends l'argent pour acheter du lait et vais au dépanneur. J'en profite pour acheter la revue *Filles*, comme je le fais chaque mois.

De retour devant chez nous, je cherche mon porte-clefs au fond de ma poche. Le sac en papier brun me glisse des mains. En ramassant le litre de lait par terre, je m'exclame : « Mais qu'est-ce que c'est que ça ? »

Le magazine, tombé à mes pieds, n'est pas celui que j'ai acheté. Du moins, ce n'est pas celui que je voulais acheter. La page couverture ne montre pas une star de cinéma mais un psychologue. Le titre ne fait pas allusion aux frasques et déboires de la diva mais à une maladie bizarre.

Je prends le magazine avec l'intention de l'échanger sur-le-champ. Il est trempé. Je suis en furie. *Et si le destin nous faisait signe par hasard ?* lance le titre comme pour me défier. Une rafale d'inquiétude se lève dans mon esprit comme un vent violent.

Pourquoi une émotion si vive pour si peu ? Je me suis juste trompée de magazine, il n'y a pas de quoi en faire un drame ! Mais le vent fou persiste à semer l'inquiétude.

Je me répète la devise de ma marraine qui est collée sur la porte de notre frigo : *L'inquiétude est un luxe au-dessus de mes moyens.*

Pendant longtemps, Claire a cru qu'elle était un deux de pique. Aujourd'hui, c'est un as de la finance et elle gère son énergie comme l'argent des portefeuilles de ses clients : investir à la bonne place et faire fructifier.

Je ne sais pas si je crois à la théorie de Claire, mais je l'applique pour contrer mon angoisse à la hausse.

<u>Obliger mon esprit à se focaliser</u>
<u>sur mes victoires et en dresser la liste :</u>
- Je ne touche plus à l'alcool ni à la drogue depuis plus d'un an.
- Je mange mes céréales avec du lait et non avec du cola.
- Je commence à apprécier le goût des fruits presque autant que celui des cochonneries.
- J'ai un emploi : un peu ennuyant et pas très payant, mais c'est juste en attendant. En attendant quoi ? À suivre...
- Non seulement je suis en état de conduire, mais j'ai mon permis !
- À l'école, je ne suis pas aussi poche que je le croyais. J'apprivoise les maths, un jour à la fois, et ça va de mieux en mieux. J'en arrache en français, mais je ne m'enrage plus comme au début. (Rigoureuse honnêteté, Mandoline !) OK, je m'enrage encore, mais moins souvent, quand même. Et les crises durent moins longtemps, ça, c'est vrai !
- Je ne me laisse plus distraire par les garçons, ni à l'école ni chez les AA. J'ai des copains et je n'essaie même pas de les séduire. (Ô victoire suprême !)
- Je suis à quelques pas d'un nouveau succès : l'an prochain, si tout va bien, j'aurai mon diplôme d'études secondaires.

Il recommence à pleuvoir. M'en fous ! Ma foi regonflée à bloc, j'entre dans la maison. Je range le lait et vais déposer la revue mouillée sur le bord de la fenêtre de ma chambre. J'enfile un imperméable et retourne au dépanneur.

Je m'apprête à ouvrir la porte. Au même moment, un homme sort du dépanneur. Je le reconnais tout de suite. Lui, il fait mine de rien et marche d'un pas rapide en direction de sa voiture.

Je me fige comme une statue de sel. Des souvenirs indésirables engorgent ma mémoire. Impossible de les chasser. Le bras se faufile sous ma chemise de nuit : c'est un serpent qui rampe sur mon ventre. La main se dresse : la gueule du serpent s'ouvre.

L'autre main sur ma bouche pour empêcher les mots en feu de jaillir : «Lâche-moi, maudit cochon!» Ravale tes mots, Mandoline! Ravale tandis que le serpent te pique.

Les grosses pattes sales de cet homme sur moi, dans la cabine du luxueux paquebot appelé Le Vaisseau d'or. Ma petite sœur Aude, endormie dans l'autre lit, le pouce dans la bouche. Dans la cabine d'à côté, maman, endormie, elle aussi. Assommée. Soûle et amoureuse.

J'ai peut-être l'air d'une statue, mais mon esprit chauffe comme une marmite oubliée sur le feu. La colère et le dégoût me secouent. Je me mets à courir derrière l'homme aux mains sales qui, lui, accélère le pas. Il s'engouffre dans sa voiture et démarre.

— C'est ça, disparais, maudit chien sale!

Il y avait une femme à côté de lui. Et sur la banquette arrière, une petite fille de dix ou onze ans. Elle a tourné sa tête vers moi quand la voiture a déguerpi. Nos regards se sont croisés.

J'ai soif. Je vais acheter le magazine qui m'intéresse. Je cours jusque chez moi, vite, très vite.

Je cale un grand verre d'eau glacée, vite, très vite.

Je me laisse tomber dans mon lit et plonge dans les potins de vedettes. Après une deuxième tentative de suicide, mon actrice préférée vient d'entreprendre une cure de désintoxication.

Quatre

— Ça fait trois heures que tu lis le même magazine. D'habitude, le matin, tu as faim et tu dévores, me dit Claire.

Je dépose ma revue.

— Mandoline, qu'est-ce qui ne va pas?

— J'ai vu...

Ce n'est pas un chat que j'ai dans la gorge mais un salaud. Je n'arrive pas à cracher son nom. Claire s'assoit sur mon lit. Je me racle le gorgoton.

— Robert-Pierre Leroux... Je suis tombée sur lui au dépanneur.

— Pourquoi tu n'es pas venue m'en parler? me demande Claire.

— Je ne supportais pas l'émotion. Il fallait que ça se taise, tu comprends?

— Pourquoi il fallait que ça se taise?

— Parce que ça me donnait soif.

Claire me dit, et ce n'est pas la première fois :

— Accueillir les émotions fait partie du processus de guérison.

Je connais la réplique qui va suivre : « Tant qu'on les fuit, elles nous cherchent. Et elles nous cherchent jusqu'à ce qu'elles nous trouvent. »

C'est bien ce que Claire dit. Mais elle ajoute :

— À moins qu'on les fasse taire.

Ma marraine AA me propose de rouvrir la porte à l'émotion. Je n'y tiens pas. Elle insiste un peu. Ça m'énerve beaucoup.

— Mandoline, qu'est-ce que tu ressens, en ce moment, si tu penses à ce qui s'est passé sur le bateau? Vraiment.

Je commence à m'énerver. Vraiment.

— J'ai soif, ostifi!

Claire ne lâche pas le morceau. Au nom de MA guérison, elle tourne le fer dans MON bobo :

— Derrière la soif, qu'est-ce qui se passe?

Je marmonne :

— Je suis en maudit!

— Après qui?

Je crie :

— Bob Leroux, qu'est-ce que tu crois!

Le salaud! Eh! que je lui péterais sa gueule d'homme respectable! Dentier inclus!

— Une colère peut en cacher une autre, me balance Claire, l'air si sûre de ce qu'elle avance.

Je la dévisage, estomaquée :

— Claire, qu'est-ce que tu veux dire?

— Toi, Mandoline, qu'est-ce que tu ressens?

Chut, Claire! Tais-toi donc. Je ne veux pas retourner sur ce maudit bateau! Trop tard! Le souvenir débarque malgré moi.

— *Maman, faut que je te dise quelque chose...*

— *Tu es jalouse de mon bonheur. Pour une fois que je me fais gâter par un chic type.*

— *Mais maman!*

— *Arrête de fabuler, Mandoline! C'est malsain.*

Non, maman, je ne suis pas jalouse. Et je ne fabule pas, je te le jure!

Le bras de Claire entoure mes épaules. Je craque. Je crie :

— J'en veux à ma mère de ne pas m'avoir crue.

Ostifi que je lui en veux!

— Qui dit que ta mère ne t'a pas crue? me demande Claire.

Je suis à bout de nerfs et au bord des larmes, mais je me ressaisis et je lui réponds :

— Maman m'a dit : « Arrête de fabuler ! »

— Et si ta mère avait eu besoin de faire taire l'émotion, elle aussi, parce que c'était trop douloureux ?

Je suis chaos. Claire pose sa main sur mon épaule.

— Il est encore temps d'agir, Mandoline, me dit-elle.

Je sais. Mais je ne me sens pas prête encore. Je me lève. J'ai eu ma dose d'intensité pour aujourd'hui.

— Claire, tu sais ce que je ressens maintenant ?

Ma marraine AA s'attend peut-être à une autre révélation spectaculaire.

— La faim !

— Viens manger, alors, me dit-elle en se levant.

Le regard éteint de la petite fille dans l'auto du salaud me fait mal.

Cinq

— Si vous êtes ici pour une note qui vous permettra d'obtenir un diplôme qui vous permettra d'obtenir un emploi qui vous permettra de dépenser sans compter ni réfléchir... alors inutile de revenir. Je vous donne la note de passage, en échange de quoi vous ne m'importunez plus avec votre désespérante présence. Si vous avez vraiment envie d'apprendre à penser, à parler, à lire, à écrire et à réfléchir, revenez la semaine prochaine.

Abdi Mouawad, notre professeur de français, se tait, essoufflé. Mécontent de la plupart des étudiants, il rassemble ses notes et ses livres et les lance dans sa mallette. Fin du cours.

Enfant, il a connu la guerre, au Liban. Il nous en parle souvent. Il nous répète que nous n'avons pas le droit de gaspiller la paix. Cette paix, pour laquelle nous n'avons pas à nous battre, doit servir l'évolution de l'humanité, pas son abrutissement.

Monsieur Mouawad m'interpelle à la sortie du local.

— Mandoline, je peux te parler une minute ?

Je lui fais signe que oui. La sévérité du ton ne laisse rien présager de bon. Je ne comprends pas. Deux fois, pourtant, j'ai répondu à ses questions pièges... sans me prendre aux pièges. J'ai même posé une question pas trop nounoune. Elle n'était pas du tout nounoune, cette question !

Les derniers étudiants quittent le local. Monsieur Mouawad fait un pas vers moi.

— Un journaliste a pris contact avec l'école en vue d'écrire un article sur les raccrocheurs. Il a demandé qu'on lui présente quelqu'un. J'ai pensé à toi.

Je m'exclame, étonnée, mais soulagée surtout :

— Moi?

— Toi.

— Pourquoi?

— Parce que toi aussi, tu as connu la guerre. Enfin, je crois. Tu l'as connue, tu la connais encore, je ne sais.

Je jouais... Je jouais de mon corps...

Silence chargé d'intensité. Monsieur Mouawad ajoute :

— Quand on est pris dans l'engrenage de la conscience, le combat est-il jamais fini? C'est une question. Je ne connais pas la réponse.

Ce bombardement de propos m'ébranle et me laisse sans voix. N'ayant pas la réponse, moi non plus, j'essaie de détendre l'atmosphère :

— Moi qui cherchais, depuis le début de l'année, une façon originale de célébrer mon retour aux études! Accorder une entrevue à un journaliste? Je n'en demandais pas tant!

Mon professeur esquisse un demi-sourire.

— Alors c'est d'accord? fait-il.

— C'est d'accord!

Nous quittons le local, ensemble et en silence. J'apprécie cet homme passionné, même s'il a toujours l'air en colère.

Abdi Mouawad me salue avant de disparaître dans la salle des profs.

Excitée à l'idée de rencontrer un journaliste, je me rends au petit parc, de l'autre côté de la rue, îlot de verdure dans un océan d'asphalte. Depuis mon retour à l'école, j'y viens souvent. Pour manger, étudier. Prier, même.

« Je jouais de mon corps comme d'un instrument de musique, un air connu, toujours le même. » Je ne me rappelle pas le rêve que j'ai fait, ce matin, mais quand je me suis réveillée, cette phrase me trottait dans la tête.

Je m'assois sur le banc et je me dis : « Mais qu'est-ce qu'ils ont tous à vouloir me faire parler de moi ? »

Six

La grammaire ne me rentre pas dans la tête. Elle me donne mal à la tête! C'est donc bien dur, ostifi! Qui a décidé que ça devait être aussi compliqué? Des esprits tordus qui n'avaient rien d'autre à faire que de compliquer les choses pour passer le temps? Ils en avaient du temps à perdre, eux autres!

La sonnerie du téléphone m'arrache aux exceptions qui n'en finissent plus de confirmer la règle.

— Est-ce que je pourrais parler à Mandoline, s'il vous plaît?

Quelle belle voix!

— C'est moi.

— Bonjour, je suis Nicolas Chevalier, journaliste au magazine *Savoir et Être*. Est-ce que je vous dérange?

Je prends une bonne respiration avant de répondre avec... ma plus belle voix :

— Pas du tout.

— Peut-on fixer un rendez-vous? me demande le journaliste.

— Oui, répond l'étudiante, calmement (mais en dedans, ça s'énerve drôlement).

— En matinée? propose la jolie voix.

J'ai de l'école.

— À l'heure du lunch, alors?

— Oui.

— Café aux deux rapides, 11 heures 30, mardi?

Oui, alors!

Puis je demande au journaliste :

— Vous avez l'air de quoi?

— Pardon? s'exclame-t-il d'un ton surpris.

— Je veux dire, comment je fais pour vous reconnaître?

Il rit.

— Cheveux noirs, plutôt longs et vaguement bouclés. Je serai sans doute en train de lire. Et vous?

— Cheveux presque noirs, plutôt raides. Non, archi raides et très courts.

Nous raccrochons. Je suis dans un drôle d'état. Quelque chose qui ressemble à de la joie, je pense.

Je baisse les yeux sur mon devoir de français. La joie est de courte durée.

Sept

— Pourrais-je parler à Mandoline, s'il vous plaît?

Pourrais-je parler à Mandoline? Quelle classe il a, ce monsieur!

— Oui, c'est moi.

— Nicolas Chevalier.

Je l'avais reconnu. Il a une si jolie voix.

La voix est jolie et désolée. L'entrevue n'aura pas lieu comme prévu. Moi aussi, je suis désolée. Pour ne pas dire franchement déçue.

— Demain matin, je dois assister à une conférence de presse. Peut-on reporter la rencontre? ajoute-t-il.

Fiou! Ce n'est que partie remise! En soirée? Pas de problème.

— Après-demain?

Non, je partage à la réunion AA. Le soir d'après? D'accord.

— Café aux deux rapides, 19 heures, alors?

— Oui!

Pourquoi ai-je été si déçue à l'idée que ce rendez-vous tombe à l'eau?

~

J'annonce à Claire que l'entrevue est reportée.

— Tant mieux. Ça nous laissera le temps d'aller fouiner dans les boutiques, s'exclame-t-elle.

Je demande :

— Quel rapport ?

Petit sourire en guise de réponse. Un sourire mystérieux et chaleureux.

Huit

Onze heures trente. Il fait beau et doux. À défaut de partager un repas avec un journaliste, je vais manger mon lunch au parc. Toute seule, comme une grande.

Mon banc n'est pas libre. Mon banc. Comme s'il m'appartenait ! Je m'en approche quand même.

Une adolescente recroquevillée semble y dormir. Une fille jeune mais ravagée par la drogue, le feu noir. Ce feu qui engourdit juste assez pour qu'on ne sente pas ses flammes nous dévorer. Je connais bien ce feu qui a faim.

Je suis hypnotisée par cette fille. Peut-être parce qu'elle me rappelle d'où je reviens et jusqu'où je suis allée dans l'illusion d'immoler ma douleur d'être.

Elle ouvre les yeux. Des yeux noirs comme le feu qui la brise. Des yeux cernés, soulignés à grands traits noirs de *eye-liner*.

— Qu'est-ce que tu me veux, toi ? me lance-t-elle.

Toute l'agressivité du monde dans la voix. La peur et la souffrance aussi, mais voilées. Je ne sais pas quoi lui répondre. Je dis :

— Je ne sais pas. Je ne sais pas exactement.

Elle se redresse. On dirait un volcan. Son regard, à la fois vif et perdu, me crache sa méfiance. Lave brûlante.

J'ai envie de m'asseoir à côté d'elle, mais je ne le fais pas. C'est plus fort que moi, je reste là, sans bouger, sans savoir quoi faire, sans comprendre non plus pourquoi je reste là, immobile et silencieuse. Puis, sans réfléchir, je griffonne mon prénom et mon numéro de télé-

phone sur un bout de papier que je lui tends. Ses bras restent ferme-
ment croisés. Je dépose doucement le papier sur le banc en lui disant :

— Au cas où tu aurais envie de t'en sortir.

« T'en sortir. » J'ai à peine prononcé ces mots que la conviction
d'avoir agressé cette fille me saute en pleine face.

— T'es qui, toi, pour me parler comme ça ? réplique-t-elle,
insultée.

La fille assise sur le banc continue de me dévisager avec mépris.
Je suis qui, moi, pour lui parler comme ça ? Les mots sont délicats.
Les paroles les mieux intentionnées peuvent faire l'effet d'une
bombe, de coups de griffes ou de couteau. Je lui réponds :

— Quelqu'un qui a de l'expérience. Cinq ans d'expérience
en alcoolisme et en toxicomanie.

— T'es travailleuse de rue ?

— Non, j'essaie de m'en sortir, un jour à la fois.

— Je t'ai rien demandé ! ajoute-t-elle.

— Je sais.

Je ne la laisse pas du regard. Une pensée fulgurante frappe mon
esprit de plein fouet : « Je n'ai pas été la pauvre victime des grands
méchants loups. Si j'ai été une proie aussi facile, c'est peut-être
parce que ça faisait mon affaire de trouver des associés pour collaborer à mon projet d'autodestruction. Quand on joue au gibier
avec un boucher, il ne faut pas se surprendre d'être dépecée. »

La fille se lève précipitamment. Le vent s'est levé presque en
même temps qu'elle. J'ajoute :

— Moi non plus, je ne te demande rien.

La fille s'en va. Je ne sais pas ce qu'elle a fait du bout de papier
avec mes coordonnées.

Je m'assois sur le banc. Au même âge qu'elle, j'avais une amie.
Une seule. Sara. Elle m'avait relancée au bar où je dansais. Elle
voulait m'aider. Sara ne pouvait pas savoir que sa main tendue
me giflait. Je m'étais défendue :

— Fous le camp ! Sinon je t'arrache les yeux !

Puis j'avais coupé les ponts.

C'est bizarre de se retrouver de l'autre côté des choses. Je me suis reconnue dans cette fille abîmée et j'ai fait avec elle ce que Sara avait fait avec moi.

Sara. Je lui ai écrit, l'an dernier, quand j'étais en désintox : *Tu m'as peut-être complètement rayée de ta mémoire. Tu m'en veux peut-être encore...* Mon amie m'a répondu : *Je ne t'ai pas rayée de ma mémoire ! Je ne peux pas t'en vouloir encore puisque je ne t'en ai jamais voulu. C'est à moi de m'excuser de n'avoir pas su respecter tes limites...*

J'étais en désintox, à Lamont. Elle, en exil, à Toronto. On s'est écrit, mais on ne s'est pas revues depuis que j'ai crié : « Fous le camp ! » Il y a cinq ans déjà.

Je voudrais que tu sois là, Sara. Il y a tant de choses que tu ne sais pas à propos de moi.

Toi, tu as vu mourir Serge, le gars que tu aimais. Ton gros chagrin, c'est lui qui nous a rapprochées. Je n'avais jamais été aussi proche de quelqu'un, sauf avec mon père, quand j'étais toute petite. Tu pleurais ton grand amour perdu. Je te racontais mes mille et une conquêtes. Je ne t'ai jamais dit ce qui s'était passé, cet été-là, sur le bateau. Jamais.

Je voulais que tu t'étourdisses, toi aussi, pour oublier. Tu ne voulais pas oublier. Tu baignais dans ta peine claire-comme-de-l'eau-de-roche, mais tu ne te noyais pas. Non seulement tu ne te noyais pas, tu jouais les héroïnes au théâtre et tu devenais une héroïne dans la vraie vie. Moi, je m'enfonçais dans quelque chose qui n'était pas du chagrin. Je ne savais pas ce que c'était, mais ça ressemblait à du sable mouvant. Pourquoi le drame se retournait contre moi alors que pour toi c'était l'inverse ?

Je t'en ai tellement voulu, Sara, de m'avoir laissée tomber pour la troupe de théâtre. J'étais presque bien quand tu avais besoin de moi, tu comprends ? Mais tu veux savoir la vraie vérité ? Ça m'arrangeait de croire que tu n'avais plus besoin de moi. J'avais une raison de plus pour me bousiller. C'est capoté, je le sais, mais c'est comme ça.

Il y a tant de choses que j'aimerais que tu saches, Sara.

Et si je t'appelais ?

Neuf

Elle a l'air perdue parmi les membres du comité d'accueil. Je cours au-devant d'elle.

— Ah, Sara! Tu es venue! Merci!

Ça me fait tout drôle de la revoir. Je l'embrasse sur les joues, lui prends la main, l'entraîne. Je lui offre café, tisane, biscuits. Sara ne veut rien. Elle m'observe de la tête aux pieds. De toute évidence, elle a du mal à croire que la fille sans maquillage et vêtue... aussi sobrement, c'est moi. Je lui souris et, moi non plus, je ne me gêne pas pour l'observer de la tête aux pieds. Elle n'a pas changé. Enfin, pas beaucoup. Elle a toujours son air un peu farouche, un peu baveux et beaucoup fleur bleue.

— J'aime ton nouveau look, me dit-elle.

J'éclate de rire. À l'époque, c'est vrai, j'étais excentrique. Obsédée par les vêtements, en fait. Et de plus en plus. Je cherchais quelque chose. Avec frénésie. À disparaître, peut-être. Je paradais, le soir, devant le miroir, enfilant puis arrachant les vêtements qui s'empilaient sur mon lit. Je cherchais, mais je ne trouvais pas. Il était tard. Je me disais : « Faut que j'arrête. » J'avais beau avoir un examen le lendemain, je n'étais pas capable d'arrêter. Et je n'étudiais pas. Pas capable.

C'est fou! Je suis si contente de revoir Sara, mais on dirait que je n'ai rien à lui dire. Et ce n'est pas ça. Quand je lui parlais dans ma tête, tout coulait, tout clair, et là, rien. Je ne trouve pas les mots, c'est vrai, mais je ne lâche pas la main de mon amie.

Sauvée par la cloche! Claire annonce le début de la réunion. Nous nous assoyons.

Il y a au moins une chose que je peux dire à Sara et je la lui chuchote à l'oreille :

— Je suis si contente que tu sois venue! Tu ne peux pas savoir.

J'ajoute :

— Ça me fait tellement bizarre de te voir.

Le sourire de Sara me répond, je pense : «Moi aussi, je suis contente d'être ici. À moi aussi, ça me fait bizarre de te revoir. »

Les membres récitent la prière de la sérénité : «Mon Dieu, donne-moi la sérénité d'accepter les choses que je ne peux changer, le courage de changer les choses que je peux et la sagesse d'en connaître la différence. »

J'ai marmonné distraitement la prière tellement je suis touchée par la présence de mon amie.

Roger, le secrétaire, prend la parole. Ostifi que je trouve ça long, aujourd'hui, la procédure!

Je regarde ma montre. C'est long longtemps, une minute, quand on la regarde passer! On dirait que l'aiguille rit de moi. Calme-toi, Mandoline. Plus facile à dire qu'à faire, OK!

Le trésorier nous invite à répondre aux besoins du groupe par une contribution. Il était temps! Cette demi-heure qui a fini par finir par passer m'a paru une éternité. Non, des éternités! Charrie pas, quand même!

Sara a sorti son porte-monnaie. Je lui dis :

— Laisse faire, tu es une invitée.

— Cinq minutes de pause-café, annonce Claire.

Les membres se lèvent, s'embrassent, se parlent, vont se chercher à boire et à grignoter. Sara observe ce qui se passe avec des yeux qui font le grand écart. Je lui dis :

— Tu as l'air de sortir d'une boîte à surprise.

— J'arrive dans une boîte à surprise, plutôt! me répond-elle.

Pourquoi elle m'a dit ça? Claire vient vers nous. Sara baisse le volume pour ajouter :

— Je t'expliquerai.

Je présente ma marraine AA à Sara en précisant :

— C'est elle qui me ramasse à la petite cuillère quand mon moral se liquéfie !

Claire-qui-a-beaucoup-entendu-parler-de-Sara fait la bise à Sara-qui-n'a-jamais-entendu-parler-de-Claire.

— Ça me fait très plaisir de te rencontrer, Sara, dit ma marraine qui a une longueur d'avance.

Soudain, je pense à ce qui m'attend, une fois la récréation terminée. J'ai une envie folle d'aller faire du jogging. Je n'ai jamais parlé en public, sauf à l'école pour les exposés oraux et je détestais ça. Même si ça ne paraissait pas.

Claire détecte ma détresse. Elle m'embrasse, me fait un gros câlin et me jure que tout ira très bien.

Câlin et douces paroles d'encouragement n'ont pas l'effet calmant escompté : je continue de mâchouiller mes babines comme si c'était de la gomme.

Claire retourne à son poste. Je confie à Paul, un membre que j'aime bien, la trouille qui me tenaille à l'idée de partager. Il me frotte le dos en me rappelant de lâcher prise et d'avoir confiance.

— Tu n'es pas ici pour performer ! ajoute-t-il.

C'est vrai. Je suis ici pour me faire du bien. Mais pourquoi le bien fait-il si mal, en ce moment ? L'inverse est vrai aussi, je le sais par expérience : le mal peut faire du bien. Temporairement, du moins. La machine humaine est donc bien mal faite. Mon Dieu, il me semble que tu aurais pu te forcer un peu plus pour la mécanique interne, non ?

J'appuie ma tête sur l'épaule de Paul. Il flatte mes cheveux. Je voudrais être un chat et n'avoir qu'une chose à faire : ronronner.

La voix de Claire fait voler en éclats mon beau fantasme félin :

— Le moment est venu de vous présenter la conférencière invitée. C'est une fille que j'aime énormément. Elle est courageuse, sensible. Je sais qu'elle est très nerveuse en ce moment...

Nerveuse, tu dis? Je capote complètement, ma chère!

— ... je ressens une grande joie à l'idée de l'entendre et je m'empresse de lui laisser la parole. Voici Mandoline.

Sara m'envoie avec ses grands yeux surpris tout ce qu'elle peut d'encouragement. Je me lève. Le plancher va s'ouvrir sous mes pieds, j'en suis sûre, et je vais tomber dans le vide. Je me dirige vers l'avant en récitant dans ma tête la prière de la sérénité à ma façon : « Mon Dieu, mets le paquet : donne-moi la sérénité, le courage, la sagesse. Ça presse, ostifi! »

Je m'assois. Je prends une grande respiration. Advienne que pourra!

Dix

*B*onjour, je m'appelle Mandoline, et je suis une alcoolique. J'ai vingt ans.

Je suis l'aînée d'une famille monoparentale de deux enfants. Mon père a pris la clef des champs quand ma sœur Aude est née. Nous n'avons pas eu de ses nouvelles depuis. Ma mère a fait une grosse dépression et n'a pas cessé de se gaver de pilules, même après avoir été soi-disant guérie.

À sept ans, j'apprends à écrire en lettres attachées, je change les couches de ma sœur et je lui donne son biberon. Je me suis fait une promesse : je ne serai pas comme ma mère. Papa l'a sûrement plaquée parce qu'elle n'était jamais contente de lui. Moi, je serai terriblement gentille !

Je suis certaine que mon père reviendra. Un jour ou l'autre, il va bien s'apercevoir que je lui manque et qu'il ne peut pas vivre sans moi.

Mais il ne revient pas. Et je me demande : « Qu'est-ce que j'ai fait de PAS CORRECT pour qu'il m'abandonne ? »

Je commence à me déguiser. Je prends un plaisir fou à emprunter les souliers, les robes et le maquillage de ma mère. Je joue à la patiente et au docteur avec Olivier, le fils de Marcel, le nouveau chum de maman. Mais Marcel disparaît, lui aussi. Avec Olivier, bien sûr. Quand je comprends que je ne les reverrai plus, je me réfugie dans ma chambre et je pleure, en frappant mon front sur le mur, de plus en plus fort. Comme d'habitude, ma mère est complètement engourdie par ses pilules et ses téléromans. Ou bien elle fait semblant de ne pas m'entendre. Aude, qui a trois ans, arrive à côté de mon lit et me dit :

— *Poûquoi, Mandoline, tu te fais un gros bobo ?*

Je crie à ma sœur de s'en aller. J'ajoute que je l'haïs.

Puis je vois cette petite fille, à deux pas de moi, terrorisée. Elle reste là et elle pleure. Mon front me fait mal. Je prends Aude par la main et je la reconduis dans sa chambre.

Pour me faire pardonner d'avoir été aussi méchante avec elle, je lui dis :

— *OK, je vais te raconter une belle histoire ?*

Elle réclame Cendrillon, et s'endort, la main agrippée à mon bras.

J'ai quatorze ans la première fois que je pique du Valium à ma mère. Je suis au secondaire et je retrouve beaucoup de plaisir à jouer au docteur et à la patiente avec les gars de la polyvalente. Je n'ai pas oublié la promesse que je m'étais faite quand j'avais sept ans : moi, je ne serai pas celle qu'on jette comme une paire de vieilles pantoufles pour aller se chausser ailleurs ! Si je couche avec des apprentis princes, je ne m'en amourache pas ! Avec des Valium, du hasch et un peu de bière, c'est plus facile.

Puis, comme dans tout conte de fées, un prince, un vrai, celui qui fait tout basculer, finit par se pointer. Il a de l'expérience, les tempes grises et beaucoup d'argent. C'est LUI ! Je le reconnais. Il a simplement troqué son cheval blanc contre une Porsche rouge.

Il m'offre de la lingerie fine, des bas de soie et des jupes en cuir. Il m'emmène dans les grands restaurants. Nous buvons les meilleurs vins, rien de moins !

Un prince m'aime ; je peux enfin oublier que je suis la fille abandonnée d'une Cendrillon abandonnée. Pour tirer un trait sur mon enfance malade, mon prince m'offre ma première ligne de coke. À l'école, mes notes baissent, mais je m'en fous. Un prince m'aime.

La féerie dure quelques mois. Le temps qu'il faut au prince pour bercer d'illusions la princesse que je crois être.

Un beau soir, mon prince me dit qu'il m'a beaucoup gâtée, mais qu'à partir de maintenant ça ne sera plus possible.

Je dois tirer un trait sur mon enfance malade ! À tout prix ! Mais la neige dont j'ai besoin ne tombe pas du ciel. Et j'aime tellement mon prince. À présent, ne serait-ce pas à mon tour de faire ma part ? J'ai un corps de petite déesse et le regard de Marilyn Monroe. Je coupe mes cheveux bruns et les teins platine. Mandoline devient Lilas. Et elle se déshabille devant les clients d'un bar. Je ne suis évidemment pas l'unique princesse à danser dans le harem du prince Gerry.

J'abandonne l'école. Je disparais de la circulation. J'ai quinze ans. Au début, l'enfer ressemble à un château.

Malgré la coke, j'ai de plus en plus soif. Et je bois. Du whisky. Beaucoup de whisky. La descente est rapide.

J'aurai bientôt dix-huit ans. Encore gelée de la veille, je rentre dans un grand magasin. Je sais que je dois m'acheter des bas de nylon.

Je demande à une fille derrière le comptoir de cosmétiques : « Où est le rayon des jouets ? »

Après, c'est un peu flou. Je m'apprête à sortir du magasin. On me prend par l'épaule et me demande d'ouvrir mon manteau. Je dis à l'adjoint du gérant : « Tu crois vraiment que je vais me déshabiller pour tes beaux yeux ? Eh ! Non ! Il faut payer ! »

Une femme à côté de lui me jette un regard méprisant. Le petit ours en peluche que j'avais planqué dans mon manteau tombe par terre. Je me penche pour le ramasser, mais la femme me devance : « Espèce de voleuse ! Tu ne croyais tout de même pas qu'on allait t'offrir un toutou pour tes beaux yeux ? »

Ils m'emmènent dans un bureau. La police arrive. Je ne suis pas encore majeure. On démantèle le réseau de prostitution auquel j'appartiens. On arrête le prince Gerry. On m'expédie illico dans un centre de désintoxication. J'envoie promener le psychologue. J'ai besoin de tirer un trait sur mon enfance malade. Besoin de coke et de whisky. On m'impose le sevrage. J'en rage. J'en bave. Je veux mourir. Un souvenir que je croyais à jamais enfoui refait surface. Je ne veux pas. Je lutte contre lui, mais rien n'y fait. Il me poursuit, la nuit, dans mes rêves : le gentil monsieur très élégant et bien élevé, follement amoureux de maman.

Il n'a fait que passer dans notre vie, le temps d'un été. Le temps de nous emmener en croisière dans les Antilles : ma mère, ma sœur et moi.

Un soir, sur le bateau, alors que maman était assommée par les cocktails exotiques et les tranquillisants, et que ma petite sœur dormait comme un ange, le monsieur si généreux est venu me rejoindre dans la cabine, sur la pointe des pieds en faisant : « Chut ! »

Tout s'est passé très vite. Tellement vite que ce serait facile à oublier. Et j'oublie.

Puis un après-midi de pluie, dans le bureau du psy, je craque. Je pleure et je crie : « Maman ! Je veux ma maman ! »

Peu après, je me retrouve parmi une gang d'illuminés qu'on appelle les AA. Je lève le nez sur ces imbéciles qui affirment s'en remettre à une Puissance supérieure. Plusieurs l'appellent Dieu, mais ce n'est pas essentiel, me dit-on. Ils me font suer avec leurs DOUZE ÉTAPES qui leur assurent un bonheur désalcoolisé au-delà de toute espérance ! Après tout, ces éclopés affectifs ne font que déplacer le problème : échanger leur béquille spiritueuse contre une spirituelle ! Mais ces rescapés du fond de l'abîme, que je juge en silence, m'ouvrent leurs bras et leur cœur, sans jamais rien me demander en retour.

Ils me disent : « Reviens ! »

Ils m'énervent, mais je reviens. À reculons, mais je reviens ; parce que je n'ai rien à perdre. J'ai déjà tout perdu, à commencer par ma dignité.

Je reviens aussi pour une autre raison : je suis de plus en plus jalouse de la sérénité de certains membres !

Je suis de moins en moins obsédée par la bouteille et la neige.

Qui est cette Puissance supérieure ? Peut-elle vraiment m'aider ? On me suggère de lui confier ma volonté et ma vie. Je ne sais pas qui elle est ni même si elle existe, mais je décide d'essayer. Au cas où !

Je commence juste à croire que je mérite d'être heureuse. J'ai encore beaucoup de chemin à faire. Mais être heureux, il paraît que cela s'apprend !

Un soir, une membre qui me tombe royalement sur les nerfs me dit : « Mandoline, rappelle-toi comme tu te détruisais avec acharnement. Tu te rends compte de tout ce que tu pourras accomplir quand tu utiliseras cette énergie pour te faire du bien ? »

Je lui ai répondu : « Va donc jouer à la mère avec quelqu'un d'autre, connasse ! Je t'ai rien demandé ! »

Rien n'empêche que, dernièrement, je me suis inscrite à l'Éducation des adultes pour terminer mon secondaire... un jour à la fois. Et à ma grande surprise, ce n'est pas aussi difficile que je l'avais imaginé.

Quelques mois plus tard, cette même membre AA, que j'avais traitée de conne, est devenue ma marraine. Je l'aime vraiment beaucoup maintenant.

Quand elle m'a demandé de témoigner, j'ai beaucoup hésité. J'ai fini par accepter parce qu'elle m'a juré que mon témoignage pourrait aider du monde, à commencer par moi-même.

S'il y a des nouveaux, ce soir, dans la salle, qui se demandent ce qu'ils sont venus chercher ici, je vais vous dire, au risque de vous faire suer : « Revenez ! » Une chose est sûre, vous trouverez de l'amour, de l'accueil et de la compréhension. Sans avoir à faire d'acrobatie !

J'ai souvent montré mon corps à des inconnus, mais je n'avais jamais mis mon cœur à nu devant une assemblée d'amis ; ça me fait vraiment tout drôle !

Je pense que je vais terminer là-dessus. Je vous remercie de m'avoir écoutée.

Les membres applaudissent. Ouf ! Finalement, ça s'est bien passé. J'ai complètement perdu la notion du temps et de l'espace. C'est bizarre : j'étais dans un état second, sauf que je n'avais rien consommé.

J'ai tout raconté. Sauf Isa. Ma marraine AA me lance un regard plein d'amour. Plein de fierté aussi. Même à Claire, je n'ai jamais parlé d'Isa. Pas capable.

Je retourne m'asseoir à côté de Sara. De grosses larmes coulent sur son visage.

— Je t'aime encore plus qu'avant, me dit-elle en prenant ma main.

Je réplique :

— Tu es toujours aussi braillarde !

Voilà tout ce que j'ai trouvé à dire pour la remercier. C'est trop bête. J'embrasse mon amie sur la joue.

~

La réunion est finie, mais une trentaine de personnes font la queue juste pour moi. Juste pour me dire : « Merci, tu m'as fait du bien. » Juste pour me prendre dans leurs bras et m'embrasser. Juste pour pleurer un peu sur mon épaule. Ça fait beaucoup de mercis et de câlins à l'heure ! Assez que mon petit cœur dépaysé ne sait plus où les mettre.

Sara m'attend, assise bien droite sur une chaise, et me regarde avec des yeux bourrés de tendresse.

Onze

Sara et moi, nous quittons la salle de réunion bras dessus, bras dessous, comme au bon vieux temps de notre amitié. Sur le palier du sous-sol d'église, mon amie, encore toute chamboulée par les révélations de mon témoignage, me dit :

— Tu savais tout de moi. Moi, je ne connaissais presque rien de toi. Ce n'est pas juste !

Sara secoue la tête puis elle pose sur moi un regard chargé d'intensité.

— Quand j'ai eu du chagrin, tu m'as aidée à passer au travers. Mais cette horreur que tu as vécue sur le bateau, tu l'as gardée pour toi. Et moi, je ne voyais rien ! ajoute-t-elle.

Je suis remuée par ce qu'elle vient de me dire, mais je réplique en riant, pour alléger l'atmosphère :

— Tu as vu le bout qui dépassait !

Quand ma mère s'énervait parce qu'elle ne savait plus où donner de la tête, elle se disait à voix haute : « Commence par le bout qui dépasse ! »

L'atmosphère refuse de s'alléger. Sara prend ma main et la serre très fort. Je confie à ma vieille amie :

— C'est justement pour remettre les pendules à l'heure que je voulais que tu viennes, ce soir.

Et je propose à Sara d'aller prendre un café. Elle jette un coup d'œil à sa montre. Elle est désolée, sincèrement, vraiment, mais elle ne peut pas. Elle doit répéter son texte pour le spectacle du Conservatoire. Mais elle m'invite :

— C'est à ton tour de venir m'entendre ! me dit-elle.

Évidemment que j'irai la voir jouer ! Comédienne en herbe à la polyvalente Colette, mon amie étudie maintenant pour devenir professionnelle. Elle a de la suite dans les rêves, Sara Lemieux. Je l'envie. Moi, je ne me suis toujours pas découvert de talent particulier. Et je n'ai pas la moindre idée de ce que j'aimerais faire.

— Pour le café, on se reprend après le *show*, promis ? ajoute mon amie.

Je fais signe que oui.

— Ah ! Mando ! Il faut que je te fasse une confidence, s'exclame-t-elle.

Elle m'a appelé Mando. Comme au temps de Colette, quand on était ados et proches.

— Tu te maries ?

— Es-tu folle, toi ! s'écrie-t-elle.

— C'est quoi d'abord ?

— Syntaxe que j'étais sur le gros nerf en arrivant ici ! me dit-elle.

— Il me semblait que tu jurais en anglais, toi, depuis ton exil à Toronto ?

Sara fronce les sourcils et me demande, intriguée :

— Pourquoi tu me parles de ça ?

— Tu as dit « syntaxe » !

— Non !

— Sara Lemieux, je te le jure !

— Je ne m'en suis même pas rendu compte ! réplique-t-elle.

— Et c'était quoi la confidence que tu voulais me faire juste avant de retomber en adolescence ?

Sara me lance un de ses regards indéchiffrables.

— Tu n'avais pas précisé que notre rendez-vous aurait lieu dans une salle de réunion des Alcooliques anonymes.

C'est vrai. C'est nono, mais j'étais gênée.

Je demande :

— Et alors ?

— Je te préviens, c'est abracadabrant. J'ai pensé : si Mandoline m'a donné rendez-vous dans un sous-sol d'église, ça doit être parce qu'elle est en danger. Elle tente peut-être d'échapper à des crapules qui veulent l'obliger à retourner travailler pour eux... J'ai même eu peur d'être poursuivie, moi aussi, par... un membre qui s'en allait à la réunion.

Nous éclatons de rire en même temps.

— Fin du premier scénario, ajoute-t-elle au bout du fou rire.

Je réplique :

— Il y en a un deuxième ?

Elle hoche la tête, avant de poursuivre en gesticulant.

— Quand j'ai entendu parler du bon Dieu, au début de la réunion, l'idée que tu étais peut-être... tombée dans une secte m'a traversé l'esprit.

Mon amie me sourit, en haussant les sourcils, en haussant les épaules aussi, l'air soulagé d'avoir vidé son sac.

— Ce n'est pas l'imagination qui te manque. Tu devrais les écrire, tes scénarios. Ça pourrait faire de bons *thrillers*.

— Je vais y réfléchir. Mais pour l'instant, je dois finir de mémoriser ce texte d'Anouilh.

— Comment ça, un texte de nouille ?

Sara est pliée en deux, incapable de s'arrêter de rire.

— Pas de nouille ! D'Anouilh, l'auteur de *La Répétiton ou l'Amour puni,* me dit-elle, essoufflée, avant de m'embrasser, de me serrer très fort et de s'en aller.

Mais elle n'a pas fait trois pas qu'elle se retourne :

— Mando ? Est-ce que j'ai dit « syntaxe » pour vrai ?

Je lui fais un grand signe que oui. Elle me laisse sur un sourire très beau. Syntaxe que je suis contente de t'avoir revue, Sara !

Douze

Onze heures trente. Claire me kidnappe à la sortie de l'école. Je mange mon sandwich dans l'auto en marche, sans savoir où nous allons. Le mystère persiste jusqu'à... la rue Laurier.

Boutique chic. Claire y a ses habitudes. Ma mère achetait ses sous-vêtements dans une lingerie tout près d'ici. C'est là qu'elle avait rencontré Robert-Pierre Leroux. Je l'accompagnais, ce jour-là. Est-ce qu'elle y va encore ?

— Ce chemisier est pour toi. J'en mettrais ma main au feu ! s'exclame Claire.

On dirait du tricot de coton. Non, madame ! Pure soie. Je jette un coup d'œil à l'étiquette. M'écrie en chuchotant ou chuchote en m'écriant :

— Es-tu malade ? Tu as vu le prix ? C'est mon salaire d'une semaine !

Claire insiste :

— Essaie-le. Pour me faire plaisir.

La vendeuse de luxe m'invite à la suivre jusqu'à la cabine d'essayage grande comme un salon. J'enfile le chemisier orange foncé, presque rouge. C'est vrai qu'il me va bien.

— Alors, ça vient, cette parade de mode ? ronchonne Claire en frappant sur la porte.

Je lui ouvre. Elle se pâme.

— C'est exactement ce qu'il te faut pour ton entrevue !

— Mais Claire...

— Tssut! Mandoline, regarde-toi, tu es belle à croquer là-dedans.

Claire m'oblige à admirer la belle fille dans le grand miroir et à lui donner raison. Je retourne dans la cabine d'essayage en grommelant : « Ça n'a juste pas de bon sens ! »

Je ressors. Claire m'arrache le chemisier des mains et va droit à la caisse. Elle ne me l'a pas dit, mais je sais qu'elle veut que sa filleule soit aussi belle pour aller à l'entrevue qu'une princesse qui va au bal. Dans les contes de fées, les marraines ont des baguettes magiques. Dans la réalité, elles ont des cartes de crédit qui font clic-clic.

Comme nous quittons la boutique, ma fée-marraine me glisse à l'oreille :

— Il faut bien faire des folies de temps en temps.

Treize

Monsieur Mouawad sort de l'école en même temps que moi. Nous traversons la rue ensemble. Mon professeur s'informe de ma rencontre avec le journaliste.

— C'est ce soir que ça se passe !

Je m'arrête au petit parc.

— Merde pour ton entrevue, me dit-il avant de poursuivre sa route.

Je m'assois. Mon regard vagabonde jusqu'au coin de la rue et se pose sur une vieille maison croche. Je viens très souvent ici et je ne l'avais jamais remarquée. On dirait une maison hantée dans un film d'horreur. La nuit dernière, j'ai rêvé à Isa. Je ne me souviens pas du rêve, seulement qu'Isa était dedans. C'est la première fois que je rêve à elle depuis...

Elle me donne froid dans le dos, cette maison. Je me dis : « Regarde ailleurs et pense à autre chose ! » Bonne idée !

Ce soir, j'accorde une entrevue à un vrai journaliste.

Quatorze

Quand il faut y aller, il faut y aller. Je n'ai pas soupé. Trop énervée! Mais qu'est-ce qui m'énerve tant? J'aime bien lire les potins de vedettes mais... Moi, je n'ai pas envie d'étaler mes déboires dans une revue!

Est-ce que quelqu'un a dit que le journaliste devait connaître mon pedigree de A à Z? Pantoute-pas-du-tout! Pourquoi je m'énerve, d'abord?

J'enfile mon superbe chemisier qui a coûté à Claire les yeux de la tête et la peau des fesses réunis.

J'aurais dû m'en douter! Dans la poche, sur mon sein gauche, Claire a glissé une pensée : *Il vaut mieux être complet que parfait. C.G. Jung*

Très drôle!

Quinze

C afé aux deux rapides. Fille un peu nerveuse/cherche cheveux noirs plutôt longs et vaguement bouclés sur tête d'homme seul à sa table et en train de lire. Tiens, je m'harmonise parfaitement à ce décor aux couleurs terre et orangées.

Je repère deux hommes seuls à crinière noire en train de lire. Le premier, la quarantaine entamée et l'air préoccupé, lit un magazine : celui pour lequel il écrit ? L'autre, entre vingt et trente ans, se captive pour un livre, *La Dame aux camélias*.

Qui est Nicolas Chevalier ? Comme je m'interroge, le regard noir du gars à *La Dame aux camélias* s'envole du livre et vient se poser sur moi.

—Des yeux très grands, très beaux.

Le gars se lève en souriant et prononce mon prénom. Un gars très grand, très beau. Je lui fais signe que oui de la tête en allant au-devant de lui.

— Nicolas Chevalier, dit-il en me tendant la main.

Je suis toute contente que Nicolas Chevalier, ce soit lui et pas l'autre. Je me réplique aussitôt : « Mais qu'est-ce que ça peut bien faire ? »

C'est drôle, la chanson me renvoie en écho : « Mais qu'est-ce que ça peut ben faire... »

Ça me fait sourire très grand. Je m'assois. Le journaliste sort un mini magnéto de sa mallette et l'installe sur la table.

— On peut se tutoyer ? me demande-t-il.

— Pas de problème.

— Est-ce que tu acceptes que j'enregistre l'entrevue ?

Mon ventre commence à gargouiller, on dirait une tuyauterie qui se lamente. J'éclate de rire. Le journaliste sourit.

— OK pour que tu enregistres. Toi, est-ce que ça te dérange si je mange ?

Non seulement ça ne le dérange pas, ça lui fera plaisir de m'accompagner. Le serveur arrive justement pour prendre nos commandes. *Fajitas* pour nous deux. Bière en fût pour lui, eau plate pour moi.

Le journaliste presse un bouton du magnéto. Je m'attends à ce qu'il me demande pourquoi j'ai décidé de retourner aux études. Il veut savoir pourquoi je les avais abandonnées.

— Parce que... je jouais de mon corps comme d'un instrument de musique, un air connu, toujours le même. Je m'appelle Mandoline ! Ah ! Ah ! Est-ce que j'aurais eu le même destin si je m'étais appelée Julie, Marie-Claude ou Anne-Sophie ?

« Je jouais de mon corps comme d'un instrument de musique. » Mais qu'est-ce qui m'a pris de lui balancer cette phrase ? Je voudrais peser sur le bouton *rewind* et qu'on enregistre par-dessus. Mon malaise est-il étampé sur mon front ? Le journaliste s'empresse de me proposer :

— Pour mon article, je peux préserver ton anonymat, si tu le souhaites.

— Fiou ! Oui, je le souhaite !

Nicolas Chevalier m'observe. Je n'arrive pas à décoder son regard. Au bout d'un silence qui semblait ne jamais vouloir s'arrêter, le journaliste me demande des précisions.

— J'ai rencontré Gerry. J'ai été recrutée par lui, plutôt. C'était un fan de Marilyn Monroe. Alors je me suis métamorphosée en imitation de l'actrice.

Le journaliste sourit en chuchotant :

— Écoute ce qui joue.

— *Je me ferais teindre en blonde si tu me le demandais,* lance la chanteuse.

Drôle de coïncidence, en effet.

— *L'hymne à l'amour* d'Édith Piaf. J'ai rencontré il y a quelques mois... non, laisse tomber...

Je réplique :

— Non, non, vas-y !

— Je t'en reparlerai. Allez, continue, insiste-t-il.

— Quand j'étais petite, mon père me disait que j'étais la plus belle fille du monde et je l'ai cru. C'était ma sécurité, une garantie pour parader dans le monde. Adolescente, j'aimais séduire les gars, susciter leur désir. J'en avais besoin, en fait. Me sentir désirée, c'était me sentir exister. En dehors de leurs regards, *niet !* Néant ! Je m'effaçais. Je n'étais pas particulièrement jolie, mais on aurait dit que personne ne s'en rendait compte. À part moi !

— Là, tu te trompes ! riposte le journaliste.

Je rêve ou ce type vient d'avouer qu'il s'en est rendu compte, lui, que je n'étais pas particulièrement jolie ? Pour la délicatesse, on repassera ! Mais il a le mérite d'être franc.

— Il y a juste toi qui ne te rendais pas compte à quel point tu étais particulièrement jolie, ajoute-t-il.

J'éclate de rire. Nicolas Chevalier ne comprend pas pourquoi. Je lui fais part du malentendu qui m'est passé par la tête. Ça le fait rigoler aussi.

Je n'ai pas rêvé : Nicolas Chevalier m'a balancé qu'il me trouvait PARTICULIÈREMENT jolie, non ? L'effet du compliment arrive à retardement. Je sens mes joues devenir toutes chaudes. Je baisse les yeux sur mon napperon. Et puis non ! J'affronte le regard et j'encaisse le compliment. Troublant. Mais bon. Avec tout ça, où j'en étais ?

— Quand j'ai commencé à danser, on aurait dit que les regards des hommes m'illuminaient de l'intérieur. Me réchauffaient aussi. Je me sentais puissante. J'étais Lilas, la prêtresse du désir !

Avec le temps, on aurait dit que ces mêmes regards me pénétraient par effraction. Comme des voleurs. C'est bizarre. J'avais de plus en plus de mal à danser parce que je ne supportais plus qu'on me dévalise en mon absence. Parce que c'était ça, en fait, je ne m'habitais plus. J'étais gelée comme une balle pour ne plus sentir ni voir. Congé de lucidité pour pouvoir survivre.

J'étais un pantin, mais aussi celle qui manipulait les ficelles. Un soir, je me rappelle, malgré la brume, je m'étais demandé : « Qui manipule les ficelles de celle qui manipule les ficelles du pantin qui danse ? » Et j'avais éclaté de rire pendant mon numéro tout en continuant de danser. Ce rire m'avait valu de gros pourboires.

Autant ces regards m'avaient illuminée et réchauffée, autant il faisait noir et froid en moi. Le courant était coupé. J'avais d'autant plus besoin de feu noir.

— De feu noir ? m'interroge le journaliste.

— C'est comme ça que j'appelle la poudre que je consommais. C'est comme de la glace noire, en hiver. On ne la voit pas, mais on glisse quand même. Les flammes dont je te parle, on ne les sent pas quand elles nous dévorent.

Pause-pipi.

~

En allant aux toilettes, je me fais cette réflexion : « Ostifi, j'en avais donc bien long à dire sur le regard des hommes ! »

Je n'en reviens pas d'aller aussi loin dans les confidences avec un inconnu. C'est fou : j'en apprends presque autant que lui à propos de moi.

Seize

Le journaliste change la cassette de bord. Le serveur a apporté nos plats.

— Qu'est-ce que tu trouves le plus difficile depuis que tu es sobre? me demande-t-il.

Le plus difficile? Je prends une bouchée et je réfléchis.

— Le jugement des autres me fait suer. Le jugement des gens comme il faut, je veux dire. Tu sais, ces gens qui ne boivent pas, qui ne se droguent pas, mais qui travaillent comme des malades au point d'être aussi abrutis et aussi absents que les vilains drogués.

Je m'emporte, m'enflamme :

— Y a-t-il moins de ravages selon la sorte d'absence? L'absence, c'est l'absence! Alors, quelle est la différence entre ces gens qui se tuent à l'ouvrage et ceux qui boivent comme des trous ou se gèlent comme des balles? Tous des intoxiqués, la tête engourdie par quelque chose. Pourtant, si je leur dis : «Je suis une alcoolique toxicomane réhabilitée!», ils lèvent le nez sur moi. À leurs yeux, je suis une prisonnière qui bénéficie d'une libération conditionnelle. Ils s'attendent à ce que je récidive! Ça ne leur effleure même pas l'esprit, à ces gens bien, qu'on a beaucoup de points en commun. Qu'au fond on a peut-être le même problème, mais qu'on le fuit autrement!

Je suis pompée, ma foi!

Je respire profondément, me calme, m'exclame :

— Ce n'est pas vrai!

Nicolas Chevalier me regarde, l'air étonné.

— Qu'est-ce qui n'est pas vrai? me demande-t-il.

— Il y a quelque chose que je trouve bien plus difficile que le jugement.

— Qu'est-ce que c'est? demande le journaliste.

— Avant, je ne me cassais pas la tête avec de grandes questions. Je n'entendais presque rien, je ne ressentais presque rien. Tout était gelé : les émotions, les phrases, et toutes ces images qui se forment sur les émotions pour tenter d'expliquer ce qui se passe en moi. Mais depuis que je suis sobre, «ça» pense tout le temps. C'est fatigant. Est-ce qu'il y a un bouton pour mettre «ça» à *off*? Je le cherche, mais je ne le trouve pas.

Je ne le précise pas, mais je pense : «Et tout est si à vif intérieurement.»

Nicolas Chevalier me dit en souriant :

— Moi non plus, je n'ai pas trouvé ce fameux bouton.

Je réplique :

— Le premier qui le trouve le dit à l'autre, OK?

— D'accord, me répond-il en souriant encore plus grand.

La cassette du magnéto est au bout de son rouleau. Le journaliste n'en a pas de rechange. Il prendra des notes pour la suite et moi, je mangerai froid.

Nicolas Chevalier prend un calepin dans sa mallette.

— Qu'est-ce que tu aimes, à part les études? me demande-t-il en tournant une page.

— Quand je vais bien : marcher. Quand je vais moins bien : courir. Et j'adore m'asseoir sur un banc dans un parc. Mais pas n'importe quel banc et pas n'importe quel parc. C'est un tout petit carré de verdure en face de l'école. J'aime aussi les réunions des AA parce que j'ai l'impression d'avoir enfin trouvé une vraie famille.

— Ton retour à l'école s'est-il bien déroulé?

— J'étais devenue un oiseau de nuit. J'ai dû réapprendre à vivre de jour... et avec un tout petit budget. Mais je suis super contente de cette nouvelle vie : de jour et à jeun.

— Tu as une idée de ce que tu veux faire comme métier?

— Pantoute-pas-du-tout! Juste une idée de ce que je ne veux plus.

— C'est un bon début, affirme le journaliste.

Un petit bruit sec me fait sursauter. Je me retourne. Un homme vient de frapper les boules. Je dis :

— Je n'avais pas remarqué la table de billard.

— Tu joues? me demande Nicolas Chevalier.

— J'ai appris en désintox. Un gars m'a montré. Après, je le battais tout le temps. Presque tout le temps.

Se concentrer sur les boules. Une boule à la fois. Pour ne pas perdre la boule.

— Et toi?

— J'aime beaucoup le billard. Je joue avec mon ami François quand il a le temps, me répond le journaliste.

— François?

— Le patron du café. Tiens, en parlant du loup...

Le François en question retire nos assiettes en nous proposant un dessert que nous refusons d'un hochement de tête simultané. Cette simultanéité nous fait sourire... en même temps. Mon regard s'accroche à celui de Nicolas Chevalier... Ou bien c'est le sien qui a invité le mien à plonger... Je ne sais plus comment sortir de ce grand lac noir. Je prends une gorgée d'eau et je demande :

— Toi, tu as toujours su que tu voulais être journaliste?

Le regard de Nicolas Chevalier s'attarde une seconde ou deux encore. C'est long, une seconde de regard dans le noir de ces yeux-là. Assez pour qu'un frisson fasse : « Bizz! » dans ma nuque.

— Non, je le suis devenu par accident, me répond le journaliste.

Puis il poursuit :

— Je suis microbiologiste de formation. Je travaillais dans un laboratoire. Avec minutie, certes, mais sans passion. Un jour, mon patron était insatisfait d'un publireportage sur les services du labo. Il m'a demandé d'y jeter un coup d'œil. J'ai lu le texte et je lui ai fait part de mes commentaires. Il les a jugés très pertinents et m'a proposé d'apporter les corrections. Mon patron l'ignorait, moi aussi, d'ailleurs, mais c'est en lui rendant ce petit service que j'allais trouver ma voie.

Le déclic a été soudain et fulgurant : Nicolas Chevalier a pris conscience que les grosses bibites humaines qui travaillaient au labo l'intéressaient bien davantage que les organismes microscopiques auxquels il se consacrait.

— J'ai quitté mon poste de micro-biologiste et je suis devenu rédacteur puis journaliste.

~

Pause-pipi II.

J'ai une envie folle d'écrire sur le mur de la salle de bains orangé comme ma chemise. Mais quoi au juste ? Je ne le sais pas, mais ça doit ressembler à de la joie. Bon ! Je n'ai pas les mots, pas de stylo et la décoration est sauve !

Je me lave les mains, tire sur le papier, m'essuie et jette la boule de papier dans la poubelle. Je m'apprête à sortir. Une fille entrouvre la porte et demande :

— Isa ?

Je frémis. En me voyant, la fille ajoute :

— Excuse-moi. Je pensais que...

Et elle s'en va.

Je retourne au lavabo, me passe de l'eau glacée sur le visage, m'essuie les mains de nouveau.

Le café est désert.

Dix-sept

— Lilas, c'était mon nom de danseuse. Faut pas l'écrire dans ton article.

— Ne t'inquiète pas.

Pourquoi je parle au journaliste du toutou volé ? Mystère. Mais je lui raconte que Lilas, la prêtresse du désir, se détruisait. La petite Mandoline en a eu assez, alors elle a piqué un ourson dans un grand magasin pour que Lilas se fasse coincer.

— Un toutou qui m'a conduite en désintox qui m'a menée chez les AA qui m'ont ramenée aux études. Il ne faut pas sous-estimer le pouvoir des oursons de peluche. Ce toutou, qui n'avait l'air de rien, a permis le démantèlement d'un réseau de danseuses mineures et d'envoyer Gerry et sa gang derrière les barreaux.

— De fil en aiguille, la vie fait son œuvre, philosophe le journaliste, l'air ému.

J'aime bien cette image : la vie est une couturière. L'idée que ce journaliste croie que la fille interrogée est une voleuse me plaît beaucoup moins. Il vaut mieux être complet que parfait, pas vrai ?

L'ami François revient et se penche vers Nicolas :

— Excuse-moi, Nicolas. Je te laisse les clefs et tu fermes en partant, mais tu t'occupes des clients s'il en vient. Ou je vous mets à la porte tout de suite, sauf votre respect, mademoiselle.

Mademoiselle, c'est moi, et j'ai droit à un sourire. Nicolas regarde sa montre et s'étonne de l'heure tardive.

— Désolé, François, dit Nicolas en prenant les deux additions qu'il règle sur-le-champ.

Nous quittons les Deux rapides.

— En général, les entrevues ne durent pas aussi longtemps, me dit Nicolas.

Je réplique :

— Je ne sais pas, c'est la première fois que j'en accorde une ! Il est tard.

Quand il faut y aller, il faut y aller. Sur le trottoir, le journaliste me tend la main, une belle main douce toute chaude. On dirait qu'il n'est pas pressé de partir, le beau noiraud. Est-ce que je me trompe ?

Nicolas Chevalier me parle des deux rapides : Mathilde et François. Il a fait la rencontre du couple lors d'un publireportage.

— Aux deux rapides était un nom prédestiné pour eux, me dit-il.

Moi non plus, je ne suis pas pressée de m'en aller. Je pose plein de questions sur les deux rapides.

Mathilde et François étaient en peine d'amour. Ils avaient loué, chacun de leur côté, un chalet à Sainte-Brigitte-de-Laval, sur un chemin qui s'appelle Les deux rapides. Ils se sont croisés au milieu de l'été, au bord de la rivière, se sont mariés à la fin de l'automne, ont eu une fille, Désirée, au printemps, et ont ouvert le café l'été suivant.

Je m'exclame :

— Ouais ! Ils n'ont pas perdu de temps, ces deux-là !

Nicolas Chevalier poursuit son récit. Je reste suspendue à ses lèvres. Nos regards se croisent et s'entrecroisent, s'accrochent et se décrochent.

— Je suis devenu un client régulier du café, l'ami du couple et le tonton de Désirée.

Fin de l'histoire des Deux rapides.

— Bon...

Là, c'est vrai, on s'en va, chacun de son côté. J'aurais bien continué à écouter Nicolas Chevalier me raconter d'autres histoires, mais bon !

Je rentre chez moi. Une pensée me traverse l'esprit. Pas juste l'esprit, le corps aussi : « Ces yeux-là me virent à l'envers. Et si c'était à l'endroit ? »

Fabules-tu, Mandoline ? Peut-être que oui. Peut-être que non.

Dix-huit

Après l'école, je viens m'asseoir sur mon banc. Il est 15 heures 33. Le visage du journaliste qui m'a interviewée me passe par la tête. J'essaie de méditer, de ne penser à rien, de faire le vide. Le visage de Nicolas Chevalier revient... et reste. J'ai senti l'élan. Cet émoi me remue, comme une main brasse la terre avant d'y déposer les semences. Graine de désir. Graine de fleur ou de mauvaise herbe ? Comment savoir ?

Un clochard fouille dans une poubelle. Je n'arrive pas à me détendre. Je m'en vais. Ce soir, j'irai voir Sara jouer au Conservatoire.

Dix-neuf

Le rideau tombe. Les étudiants du Conservatoire reviennent sur scène pour saluer. Sara sourit, resplendissante. Je vais aller la féliciter.

Je quitte mon siège. En marchant dans l'allée, j'aperçois Marie-Loup, la tante bizarre de mon amie, puis deux de mes anciens copains de la polyvalente Colette : Greta Labelle, l'ancienne rivale devenue l'amie et la coloc de Sara, et Emmanuel Ledoux, l'éternel prétendant.

Cinq ans plus tard, Emmanuel est toujours dans le décor. Quel rôle il joue, maintenant ?

À Colette, je lui avais tourné autour, mais j'avais vite frappé un mur. Il n'avait d'yeux que pour Miss Farouche, Sara-Juliette drapée dans sa peine d'amour comme dans une cape de velours brodée de pierres précieuses. Bonne joueuse, je me suis convertie en entremetteuse. Emmanuel, lui, avait tant d'yeux pour sa belle effarouchée qu'il s'est converti en Roméo dans la troupe de théâtre.

Un midi, en allant faire pipi, j'ai biffé le graffiti *MLE*. Pour *Mandoline Love Emmanuel*. Mon premier graffiti.

Mandoline, fille délurée et colorée, assise sur une cuvette des toilettes, à Colette, a aussi écrit :

La vie c'est de la marde

Ce deuxième graffiti, je l'ai écrit l'année suivante, au retour des vacances d'été. C'était juste après Bob Leroux. Quelqu'un m'a répondu : *À quoi ça sert de se battre contre elle ?* La question m'a trotté dans la tête toute la journée. Le soir, j'ai piqué des pilules à ma mère pour la première fois.

Puis j'ai suivi ce feuilleton qui se poursuivait anonymement. *La vie c'est de la marde. À quoi ça sert de se battre contre elle? T'as juste à la flusher! T'es à la bonne place!*

Dans la toilette d'à côté, ce long graffiti :

Toute joyeuse à l'extérieur.

Si seule à l'intérieur.

Vous ne voyez rien, gang de sans yeux!

Quelqu'un s'est-il douté que j'en étais l'auteure? Sûrement pas. Je faisais tellement d'efforts pour avoir l'air « normale ». Ostifi que je m'en donnais, du mal, pour avoir l'air bien! C'est étrange : je n'étais pas capable de parler de ce que je vivais, même à ma meilleure amie, mais ma souffrance, je l'écrivais sur les murs des toilettes pour que tout le monde la lise.

Emmanuel Ledoux me regarde. De toute évidence, il ne me reconnaît pas. Je ralentis le pas. Non, je n'avance plus. J'ai peur. J'essaie de me raisonner : il n'y a aucune raison d'avoir peur. J'ai peur quand même. Ce n'est peut-être pas de la peur. Peut-être, mais le résultat est le même.

Je veux aller féliciter Sara. Mes jambes refusent d'avancer.

« Mon Dieu, donne-moi la sérénité d'accepter les choses que je ne peux changer... »

J'ai beau prier, je reste clouée sur place.

Incapable de faire un pas en avant, je vire de bord.

Qui est cette folle, si seule à l'intérieur, qui court dans l'allée? Mandoline-Tétrault-pleine-de-secrets-qui-grouillent-comme-des-vers-luisants. Vous ne voyez rien, gang de sans yeux?

Avant, les pilules de maman, la poudre de Gerry et le whisky endormaient mes angoisses. Et celles-ci filaient jusqu'au matin, comme des enfants sages, bien au chaud dans leur lit confortable. Est-ce que c'est normal de comparer l'angoisse à un petit enfant?

Je quitte la salle comme une voleuse.

Vingt

Au lit, avec un livre et un marqueur, Claire est partie à la chasse aux pensées. Elle me voit dans l'encadrement de la porte, dépose son livre et m'invite à entrer.

Ça ne va pas. Ça ne va pas du tout

— Mandoline, qu'est-ce qui se passe ? me demande-t-elle.

— Tu vas peut-être me trouver complètement folle, mais... j'arrive du Conservatoire. Ça m'a pris tout d'un coup. Revoir ces gens qui appartiennent à mon ancienne vie m'a fait paniquer.

Claire me sourit. Elle me dit :

— Ça ne m'étonne pas.

J'argumente :

— Oui, mais quand j'ai revu Sara, à la réunion, ça ne m'a pas fait cet effet-là.

Claire me rappelle que j'ai revu Sara dans une salle de réunion des AA, justement : en milieu protégé.

Je réagis :

— Pauvre petite Mandoline ! Lâchée lousse dans le trafic, elle capote, c'est ça ?

Claire éclate de rire.

— Pas toujours. Pas pour toujours. Mais quand des fantômes surgissent du passé, c'est normal d'être ébranlée. Moi, au début de mon rétablissement, j'étais plus vulnérable dans le trafic, comme tu dis, qu'à l'intérieur des murs de la fraternité.

Encore une fois, ma marraine m'aide à comprendre, à dédramatiser et à accueillir l'émotion. Faire face aujourd'hui à ce que l'on fuyait hier : pas simple, comme programme !

Vivre. Un jour à la fois. Affronter. Un fantôme à la fois.

Claire se lève et va chercher sur la commode son coffre à bijoux-de-mots. Elle l'ouvre et me dit :

— Allez, pige.

Je déplie le supposé trésor.

— Alors ? me demande Claire.

Je lis à voix haute : *Pour apaiser sa souffrance, il faut d'abord la vivre jusqu'au bout. Marcel Proust*

Je souhaite bonne nuit à Claire et je vais dans ma chambre. Je dépose la pensée sur ma coiffeuse, avec les autres, et je me couche. Sur le point de m'endormir, je me dis : « Il ne faut pas que j'oublie d'appeler Sara pour lui dire que j'étais là. »

C'est moche, tout de même, que je n'aie pas félicité mon amie.

Vingt et un

J'ai du mal à me concentrer pour étudier. Je sais exactement pourquoi. Je sais exactement à quel moment cela est arrivé. Il était 15 heures 33 hier après-midi.

Une graine de désir s'est immiscée dans mes pensées. Si je l'arrose, elle va pousser.

Ma marraine travaille ce soir. Je me pose donc la question qu'elle me poserait si elle était là : qu'est-ce que je ressens ?

J'ai l'impression que je reverrai Nicolas Chevalier. Est-ce que je pressens quelque chose ? Est-ce que j'imagine des choses ? Comment faire la différence entre imagination et intuition ? Ce désir, est-ce que je le projette sur ce visage qui lui sert d'écran ou bien c'est un pressentiment avec une histoire dedans, comme il y a un arbre dans un gland ?

Mêlée, la fille.

J'appelle chez Sara. Occupé, ostifi !

~

J'ai du mal à étudier, mais je me force.

Vingt-deux

Appeler Sara, c'est vrai! Il faut absolument qu'elle sache que j'étais dans la salle et que je l'ai vue en Lucille. Je l'avais manquée en Juliette, à Colette.

Ma main s'approche du combiné. Le téléphone se met à sonner. Je réponds.

— Mandoline?

C'est lui. Je dis :

— Oui, c'est moi.

— C'est Nicolas Chevalier.

— Je sais.

J'avais pressenti qu'il m'appellerait! Ce n'était pas de la fabulation.

— Écoute... je pourrais prétexter qu'il me manque des informations pour mon article, mais ce n'est pas le cas. As-tu envie de jouer au billard avec moi? Je veux que tu saches que ce n'est vraiment pas dans mes habitudes de rappeler...

Je ne le laisse pas finir sa phrase. L'impolitesse a parfois bien meilleur goût!

— Complètement.

— Complètement? répète-t-il.

— Oui. J'ai complètement envie de jouer au billard...

La fin de ma réplique, par contre, je l'achève intérieurement : « Avec toi. »

— On peut fixer un rendez-vous maintenant? me demande-t-il.

Yes, sir ! Je réponds, avec de grosses traces de joie dans la voix :

— Pas de problème !

— Tout de suite, est-ce que ça te va ? ajoute-t-il.

Tout de suite ? Je dois remettre mon travail de français demain matin à la première heure. Il n'est pas terminé. Je peux quand même m'accorder une petite pause, histoire de digérer ces règles archi compliquées qui me donnent tant de mal et si peu de plaisir !

Réponse :

— Oui, ça me va.

Aux deux rapides. À tout de suite.

Vingt-trois

— S alut, me dit Nicolas-qui-m'attendait.
Je suis folle-contente de le revoir. Ça paraît, je pense. J'ai droit à un grand sourire. Le sourire me rentre dedans comme une boule de billard empochée.

Nicolas Chevalier m'invite à le suivre au fond du café. Ce que je fais avec beaucoup de... motivation.

Près de la table de billard, deux gros poissons nagent dans un aquarium : un poisson rouge et un oscar.

— En principe, les poissons rouges servent de lunch aux oscars. Mais l'un des oscars est mort et l'un des poissons rouges a grossi... nous précise Mathilde.

Ce poisson rouge a vu son statut de condamné à mort passer à celui de colocataire. Pas mal, tout de même !

Le bris. J'ai le choix des boules après avoir empoché. Petit coup défensif en espérant ne pas ouvrir la porte à mon adversaire. Petit regard furtif mais grand frisson.

Combine au centre. Les joueurs se font la vie dure. Nicolas me donne un accès direct à ma boule. Moi, je dis boule. Lui, bille. Il parle tellement bien, Nicolas.

La marge de manœuvre est mince.

— Très bien joué, s'exclame Nicolas, épaté.

À son tour. Sa bille se promène quelques instants à l'embouchure, mais elle ne s'arrête pas où il voulait. À moi maintenant. Je me concentre. J'essaie de me concentrer, mais le regard de Nicolas Chevalier, en s'attardant sur moi, me complique la vie.

Mon regard à moi aussi s'attarde... sur le beau jeune homme. Je me rappelle les conseils de Marco quand j'étais en désintox : « Joue en douceur. Plus on force, plus le bras bouge, moins c'est précis. »

Je gagne la première partie, Nicolas, la deuxième. Nous n'en jouons pas d'autre. Pas le temps. Je dois ABSOLUMENT finir mon travail de français. Ça ne me tente pas, ostifi-d'ostifi-mais-bon !

Nous nous apprêtons à quitter le café. Mathilde arrive derrière Nicolas et lui passe la main dans les cheveux. Puis la voix de la patronne se met à enterrer celle du chanteur :

— *Laisse-moi devenir l'ombre de ton ombre, l'ombre de ta main, l'ombre de ton chien.*

Fin des caresses. Mathilde tape un clin d'œil à Nicolas, débarrasse une table et poursuit sa route avec un plateau chargé de vaisselle sale. Je regarde Nicolas avec une insistance curieuse.

— À chacun sa chanson piège. *L'hymne à l'amour* de Piaf pour toi, *Ne me quitte pas* de Brel pour moi.

Nous sortons du café. Nicolas m'a tendu une perche : je veux savoir ce qu'il y a au bout. J'ai beau avoir un travail de français EXTRÊMEMENT IMPORTANT à terminer, je lui demande :

— C'est quoi, cette histoire de chanson piège ?

Il me regarde, l'air hésitant, puis me répond :

— J'ai aimé une femme à la folie. J'ai cru devenir fou quand elle m'a quitté.

Cette confidence me dérange, je pense. Non, j'en suis sûre ! Nicolas ajoute :

— J'ai cru devenir fou quand j'étais avec elle. Un beau cul-de-sac. Léa, c'était ma drogue. Au début, le plaisir. Puis viennent les problèmes qu'on ne veut pas voir. Jusqu'à ce qu'on ne puisse plus voir autre chose.

Comme avec l'alcool. Comme avec la poudre. Gerry était-il une drogue de plus dans ma vie ? Je dis :

— Je sais ce que c'est. Avec Gerry, mes jours d'amour étaient comptés. Il reluquait des filles plus jeunes et plus belles que moi.

Gerry trouvait que j'avais trop de seins, trop de fesses, trop de hanches. Je ne comprends toujours pas pourquoi il me disait ça. Non, mais c'est vrai ! Tout ce qui l'avait séduit, au début, il voulait que ça disparaisse. Il surveillait ce que je mangeais. « Les grosses mammas ne m'excitent pas », qu'il disait. Je maigrissais. Je me rendais bien compte que le grand amour auquel j'avais cru n'était qu'un petit paquet d'os. Un amour sous-alimenté avec des miettes de bonheur, dispersées ici et là, et noyées dans l'attente, le doute et la déception. Eh ! c'est encore moi qui parle !

Nicolas sourit. J'ajoute :

— Là, c'est vrai, je me la ferme ! Cette Léa, comment elle est ? Je sais déjà que je ne l'aime pas, mais je veux tout savoir d'elle !

— Une enfant gâtée-pourrie, fille unique d'un industriel en pharmacologie. Habituée au luxe, elle naviguait dans le jet set comme un poisson dans l'eau. Elle lançait : « Et si on allait manger à New York ? »

— Vous y alliez ?

— Hum, hum. Avec l'hélico de son papa.

— Tu l'as rencontrée comment ?

— À cause d'un contrat de rédaction. Léa travaille vaguement pour son père, en marketing. J'ai rédigé un dépliant publicitaire.

Mais encore ? Je veux des détails ! Nicolas m'en donne :

— Belle, très brillante intellectuellement, mais d'une grande immaturité émotionnelle et affective. Narcissique, manipulatrice. Violente aussi. Cruelle, surtout.

Une vache, quoi ! Ce n'est pas Nicolas qui le dit, mais Mandoline qui le pense !

— Cette fille prenait un malin plaisir à laisser planer le doute qu'elle pourrait partir à tout moment. Elle le faisait. Revenait. Elle se réjouissait, il me semble, de ma douleur jalouse et inquiète. Dieu merci, je me suis sevré d'elle ! ajoute celui qui a aimé Léa-la-vache à la folie.

Je regarde l'heure. Il faut vraiment que j'y aille !

— Je t'accompagne jusqu'au métro ? me demande Nicolas.

— Ça serait chouette, mais je suis venue en auto !

Nicolas me tend la main en me disant à la prochaine. Nous nous regardons sans nous lâcher la main. J'ai chaud, ostifi !

Je me hausse sur la pointe des pieds, j'embrasse Nicolas sur la joue et je file sans me retourner. Nous n'avons pas fixé de rendez-vous pour une troisième partie de billard. Y aura-t-il une autre rencontre ?

Vingt-quatre

J e pense à toi, Nicolas Chevalier. J'ai envie de te revoir. Rappelle-moi donc! Ton numéro de téléphone, moi, je ne l'ai pas. Tu ne me l'as même pas donné.

— Est-ce que c'est bon? me demande Claire.

— Oui-oui, mais je n'ai pas très faim.

— Tu vois Nicolas dans ta soupe. Je comprends que tu n'oses pas vider ton bol, réplique ma chère marraine.

Je regarde le potage aux carottes. Je n'y ai même pas goûté. Je souris en prenant ma cuillère.

— Oh, Claire, elle me fout tellement la trouille, cette relation!

Et je lui raconte pour la dixième fois au moins ma peur floue et mon désir fou.

Le téléphone sonne. Je capote. Trop pour aller répondre? Non.

— Allô?

— Mandoline?

Pour la première fois, non, la deuxième, j'exprime à Nicolas Chevalier ma joie claire comme-de-l'eau-de-roche, de l'eau de roche au soleil et en été, tiens!

— Je suis contente que ce soit toi.

Vingt-cinq

Ma peur n'est plus du tout floue. Cinquante fois, depuis que Nicolas m'a rappelée, j'ai pensé à la machine à séduire-à-tout-prix. La machine à séduire d'avant Gerry.

Pour la cinquante et unième fois, je réfléchis devant témoin. Il était temps.

— Je pensais être amoureuse d'un garçon et je faisais les yeux doux à un autre. Je passais de l'un à l'autre, parfois le même soir.

Comme si cette machine à séduire fonctionnait malgré moi, sur le pilote automatique, projetant mon désir d'un visage à l'autre, comme un film à l'écran.

— Claire, le visage de Nicolas est-il l'un de ces écrans interchangeables dans une salle de cinéma intérieur ?

Ma marraine m'a écoutée avec sa patience légendaire. Maintenant, j'attends la suite du réconfort : une réponse.

— En matière d'amour heureux, tu le sais, Mandoline, je n'ai pas plus d'expérience que toi.

Déçue, la filleule ! Très, très déçue par cette réponse.

— Mais je peux te poser une question, par exemple, ajoute ma marraine.

Je réplique :

— Allez, pose ! Pose !

— Des gars, il y en a partout autour de toi : à l'école, au bureau, chez les AA. As-tu envie de tous les séduire ?

NON ! C'est clair comme de l'eau de roche. Je donne un gros bec sur la joue de mon amie et je marmonne :

— Ostifi que je t'aime, toi!

— Moi aussi, je t'aime en ostifi! me dit-elle, avant d'ajouter :

— Dans quelque temps, c'est peut-être toi qui seras en mesure de m'aider, côté cœur!

OUF! Je suis d'aplomb pour aller à mon rendez-vous.

J'amorce mon départ. Claire stoppe mon élan. Elle soulève le couvercle de son coffre à bijoux-de-mots. Je pige : *L'avenir me regarde, les bras tendus, chargé de possibles neufs. Anique Poitras*

Je cours au-devant de mon avenir aux bras tendus. J'espère qu'elle a raison, cette Anique Poitras!

Vingt-six

La table de billard est occupée. Qu'est-ce que je m'en fous!
— On marche un peu? propose Nicolas, qui n'a pas l'air trop déçu, lui non plus.

— Oui, mais à une condition.

— Des menaces, déjà?

— C'est pas des menaces mais une proposition : à ton tour de m'accorder une entrevue.

— Aucun problème, très chère.

Qu'est-ce que j'ai aimé m'entendre appeler « très chère » par lui!

Nous quittons Les deux rapides... rapidement. Nous marchons au hasard. Nicolas attend ma première question. Je la commence comment, cette entrevue? Je n'ai pas d'expérience en journalisme, moi!

Depuis Léa-la-vache-folle, y a-t-il quelqu'un dans sa vie? Pas pour lui demander ça, quand même! Rien n'empêche que ça me démange en ostifi! Je prends mon mal en patience et je m'informe de son enfance.

— Né de mère espagnole et de père québécois, je suis, aujourd'hui, le fils d'une Québécoise et d'un Espagnol, me répond-il.

— Attends, là, je ne te suis pas.

— Mes parents ont échangé leur nationalité, ajoute-t-il, l'air moqueur.

Nicolas se paie ma tête, j'en suis sûre. Il m'assure que non.

— Ma mère a quitté l'Espagne pour venir vivre avec son mari dans son pays à lui. Mais quand mon père est retourné vivre dans son pays à elle, ma mère est restée ici.

— Je ne sais pas si je dois le croire.

— Je te jure que c'est vrai, Mandoline.

Jean-Louis Chevalier travaillait à l'ambassade du Canada en Espagne lorsqu'il est tombé amoureux de María-Magdalena Lispector, une jeune secrétaire nouvellement embauchée.

— Mes parents se sont mariés là-bas puis sont venus vivre ici. Et ma mère a donné naissance à un magnifique bébé : moi.

Jean-Louis ne réussissait pas à reprendre racine dans son pays. Il a proposé à sa jeune épouse de retourner vivre dans son pays à elle. Convaincu, bien entendu, qu'elle sauterait de joie. Mais María-Magdalena a dit : « Pars si tu veux, mais moi, je reste. »

À cause d'une petite fille handicapée qu'elle avait commencé à garder pour dépanner une voisine. Elle ne pouvait pas l'abandonner.

— Mon père est reparti pour l'Espagne en espérant que ma mère le rejoigne. Mais finalement...

— Finalement, quoi?

— Ma mère a ouvert une garderie pour enfants handicapés. Et Luce, la petite fille qu'elle a gardée, est aujourd'hui son bras droit.

Luce, sa presque sœur. Celle qui a provoqué la rupture de ses parents. Celle qu'il a maudite et jalousée parce qu'elle lui volait sa mère. Aujourd'hui, il l'adore.

— Jean-Louis Chevalier est devenu Espagnol et María-Magdalena Lispector, Québécoise.

— Quelle drôle d'histoire! Tu parles espagnol, alors?

— *Sí. Casi siempre con mi madre. Pero mi madre habla francés como una quebequense.*

— Je ne comprends rien, mais eh! que je trouve ça beau!

— *Eres adorable, Mandolina.*

— Adorablé, ça veut dire adorable? Ça j'ai compris, Nicolaté!

Nicolas pose sa main sur mon épaule puis montre du doigt l'école où il allait au primaire. La maison qu'il a habitée jusqu'à son adolescence est à deux pas. Nous passons devant et nous décidons de faire une pause. Il n'y a plus de circulation dans les rues. Nous nous assoyons sur la pelouse qui l'a vu jouer, tomber et se chamailler avec ses petits copains. Je retire mes chaussures et me frotte les pieds. Ô plaisir suprême!

— Laisse, murmure Nicolas.

Et il masse mes petits petons. Ô plaisir suprême extra! Et il me parle des fées de son enfance : Loulou, Mado et Mamoushka, ses tantes adoptives. Ces trois amies, sa mère les a choisies pour se composer une nouvelle famille.

— Autrement dit, ma famille maternelle, c'est un quatuor constitué de trois sorcières, dont ma mère, et d'une avocate du diable, Mado, la mère de Luce.

Luce, sa presque sœur. Mais pourquoi la mère de Luce n'a pas droit au titre de sorcière? Je demande des précisions sur l'avocate du diable en question.

— Mado est avocate : elle pratique le droit criminel. Et contrairement aux trois autres membres du groupe, elle n'est pas du tout branchée sur la spiritualité et la croissance personnelle. C'est une cérébrale pure et dure... au cœur tendre. Avocate dans la vie, et avocate du diable avec ses amies.

— Ta mère n'a pas de famille en Espagne?

— Oui. Nous sommes allés chez mes grands-parents, chaque été, jusqu'à la mort de mon grand-père. Après le décès de son père, ma mère n'a plus remis les pieds dans son pays. Pourquoi? C'est un mystère. Moi, j'ai continué et je continue de retourner en Espagne, une ou deux fois par année, pour voir mon père. Et ta famille à toi? me demande Nicolas.

— J'ai perdu mon père de vue quand j'avais cinq ans. Ma mère et ma sœur, je ne les vois pas souvent. Quand je suis sortie de désintox, je suis retournée vivre avec elles, mais ça n'a pas marché.

Trop tentante, la pharmacie de maman. Trop désespérantes, trop déprimantes, aussi, nos relations familiales.

— Heureusement, celle qui est devenue ma marraine AA avait une chambre à louer à une étudiante. Mais c'est moi qui pose les questions, OK?

— OK, m'dame!

Je me lève. Nicolas fait de même et m'emboîte le pas. On poursuit notre route. Je continue d'interviewer mon beau journaliste.

— Tu as quel âge, au fait?

— Quarante ans, mais je ne les fais pas, me répond-il.

Je dévisage Nicolas avec un point d'interrogation dans chaque œil. Un sourire et un regard malicieux éclairent son beau visage.

— J'ai vingt-six. Ça te va?

— Ça me va. Et qu'est-ce que tu aimes, à part le journalisme et le billard?

— Voyager, lire, jouer au tennis, écouter du vieux blues et les belles chansons francophones. Danser aussi.

Étonnée, je m'écrie :

— Tu danses, toi? J'aurais pas cru!

— Mais c'est un peu comme pour ton banc de parc.

— Quel rapport entre mon banc et la danse?

— Je danse, c'est vrai, mais pas n'importe quelle danse, et pas avec n'importe qui, répond-il, l'air mystérieux.

— Qu'est-ce que tu danses?

— Je ne te le dirai pas maintenant. Mais je te le montrerai assurément.

Je le talonne pour en savoir plus. Inutile d'insister.

On marche toujours au hasard. La circulation s'est estompée. Soudain, je m'exclame, tout énervée :

— Je n'en reviens pas!

Je ne me rendais pas compte qu'on y venait. On s'assoit. Sur mon banc. Je dis à Nicolas :

— Bienvenue sur mon île verte.

— Tiens, avant que j'oublie.

Il me remet une carte avec ses coordonnées, au travail et à la maison. Difficile de lire, dans cette nuit mal éclairée par un minuscule croissant de lune.

— Mandoline, j'ai un aveu à te faire.

Moitié curieuse, moitié nerveuse, j'attends la suite.

— Ce n'est pas toi que je devais rencontrer pour mon article. L'étudiant avec qui j'avais rendez-vous a décroché, ajoute-t-il.

Après, c'est bien étrange. Ce matin-là, quand il a appris que l'étudiant ne viendrait pas, il était contrarié. Il a téléphoné à l'école où j'étudie pour qu'on lui adresse quelqu'un. Quand on lui a dit que l'étudiante s'appelait Mandoline, il a été troublé. Vraiment beaucoup.

— Pourquoi troublé ?

— Sais-tu à quoi j'avais rêvé, cette nuit-là ? me demande-t-il.

— Désolée, je ne suis pas voyante !

— Je recevais un instrument de musique en cadeau : une mandoline. Et j'étais fou de joie.

Troublant, en effet. Vraiment.

Nicolas ajoute :

— L'hiver dernier, j'ai fait une entrevue avec l'auteur d'un essai sur la synchronicité.

— La synchroniciquoi ?

— Synchronicité. Tu sais, ces coïncidences étranges : deux événements liés par le sens et non par la cause. C'est arrivé pendant ton entrevue. Tu venais de me parler de ta métamorphose en Marilyn Monroe et Piaf s'est mise à chanter : *Je me ferais teindre en blonde...*

Je demande à Nicolas :

— Tu y crois, à ces choses-là, toi ?

— Moi, je suis de nature plutôt sceptique. Mais je dois t'avouer que cette coïncidence entre mon rêve de mandoline et ma rencontre

avec Mandoline m'a... bouleversé. Et c'est à cause de cette synchronicité que j'ai osé te rappeler après l'entrevue.

Moi aussi, je suis bouleversée par cette étrange coïncidence.
Mais quelque chose d'autre me chicote. Je fais un calcul rapide : le
jour où monsieur Mouawad m'a parlé de cette entrevue, au matin,
moi, j'avais trouvé une phrase au bout d'un rêve que je ne me
rappelle pas : « Je jouais de mon corps comme d'un instrument de
musique, un air connu, toujours le même. »

J'en fais part à Nicolas. Même si ça a l'air arrangé avec le gars
des vues. Capotant, tout de même, cette double coïncidence !

Nicolas prend ma main et la porte à ses lèvres. On dirait qu'une
tonne de briques me tombe sur le cœur. Ma salive a du mal à
passer dans mon gosier. Le regard de Nicolas me donne chaud. Me
réchauffe et me fait frissonner. Je glisse, je tombe dans son regard
noir. J'ai envie que Nicolas m'embrasse. Il me semble que ce serait
un bon moment.

Je lance :

— Tu n'es pas fatigué, toi ?

— Un peu, répond-il, l'air surpris.

Surpris ou déçu ?

J'ajoute en me levant :

— On y va ?

Sans laisser sa main, pourtant.

On va où, en fait ?

L'aube est arrivée sur la pointe des pieds et nous offre une rosée
tiède. On aurait pu s'embrasser dans le noir. Le soleil aurait pu se
lever en fin de baiser. Pourquoi est-ce que j'ai brisé cet instant
magique ?

On s'était dit : on marche un peu ? On a marché jusqu'au matin.
Jusqu'à cette île verte au milieu d'un océan d'asphalte.

Où on va, maintenant ?

Vingt-sept

Est-ce que c'est possible de réparer un instant magique brisé ?
Je ne sais pas, mais j'essaie.

J'allume l'ordinateur et je me branche sur Internet.

Comme on dit chez les AA : « Le courage, c'est la peur qui fait sa prière. »

Je tape l'adresse électronique : *chevani@cosmos.com*

Nicolas,

Si tu peux, si tu veux, rendez-vous à l'aube, sur mon île verte, pour assister avec moi au lever du soleil.

Mandoline

J'appuie sur *envoyer*.

Vingt-huit

Je suis venue sur mon île et j'attends Nicolas. Sans savoir s'il viendra. Je n'ai pas eu de ses nouvelles à la suite de mon envoi de courriel.

— Bonjour. Bonne aube, plutôt, murmure-t-il à mon oreille.

Sa voix me ravit. Le frisson m'envahit. Sa présence me réjouit. Folle contente, la fille ! Vraiment ! Complètement !

— Bonne aube, beau bonhomme !

Il sourit, mon beau Nicolas, me fait la bise sur les joues, des joues en feu, et s'assoit à côté de moi.

— Qu'est-ce qu'on attend, déjà ? me demande-t-il.

L'instant magique s'était brisé ici, à cette heure-ci, hier. Je réponds :

— Que le soleil se lève, non ?

Et je glisse dans le regard de Nicolas. Je tombe. Non, je ne tombe pas. Je plane dans la douceur de son désir. Je danse dans le feu de son désir. Je brûle de désir, moi aussi, mais je ne disparais pas en fumée. Je suis une fille assise sur un banc, dans le matin naissant. Mon visage va à la rencontre du visage du gars assis à côté de moi. Il s'appelle Nicolas. Nicolas-beau-comme-un-cœur. Oui, j'ai chaud. J'ai chaud, j'ai peur, mais je ne me sauve pas.

Ses lèvres contre les miennes. Nerveuses, timides, heureuses, joyeuses, nos lèvres, de s'effleurer, de se toucher, de s'entrouvrir, de s'ouvrir grand la porte sur l'infini bonheur de l'instant présent. Le soleil se lève. Maudit que c'est bon !

— Je suis d'accord avec toi : c'est vrai que c'est bon, chuchote Nicolas.

Je réplique, surprise :

— J'ai pensé tout haut ?

Il sourit, l'air moqueur :

— Peut-être pas. Et si c'était moi qui avais lu dans tes pensées ?

Encore une fois, je ne sais pas s'il blague ou non. Décidément, c'est en train de devenir une habitude.

Nicolas doit aller travailler. Grosse journée : un article à terminer, deux conférences de presse et deux entrevues. Puis il ajoute :

— Je dois m'absenter pour trois jours : un colloque à Québec. Je pars en fin d'après-midi. Mais je t'invite à souper à mon retour.

Re-bisou doux, fougueux, mouillé, et à très, très bientôt.

Vingt-neuf

*G*rammaire, grammaire, toi, mon calvaire,
    Pourquoi tu me donnes autant de misère ?
Tu es la bête noire de mon année scolaire
Tu me fatigues et tu m'ennuies
mais à ce qu'il paraît tu m'es nécessaire
Ô toi, vilaine, si tu savais
comme ça me fait du bien
De te dire ma façon de penser
pour me défouler un brin

Flash : La conjugaison, c'est comme la société. Les verbes s'accordent aussi difficilement que les individus. Mais il y a les exceptions.

Existe-t-il vraiment des mariages heureux ? Et si la réponse était oui ?

Et si je revenais à mon travail ? Oui-mais j'ai quand même le droit de rêver un peu, en couleurs et en trois dimensions ! Et si mon rêve devenait une histoire vraie dans la réalité ?

Oui-mais finis ton travail ! Ça rêvera mieux ensuite.

OK, d'abord !

~

Nicolas a parlé de m'inviter à souper dès son retour. Oui, mais il ne m'a pas donné de rendez-vous. Et s'il changeait d'avis ? Il m'a dit : « À très, très bientôt ! » Oui mais ! Et si... et si j'étudiais pour finir en beauté cette année scolaire qui s'est plutôt bien passée ?

Fichue de bonne idée !

Trente

Je remets ma dernière copie d'examen. Abdi Mouawad me sourit et me fait signe de me pencher.

— J'ai une grande confiance en toi, me chuchote-t-il.

Je murmure, intriguée :

— Pourquoi vous me dites ça?

— Parce que je sais. Appelons ça... de l'intuition masculine. Bon été, Mandoline.

Qu'est-ce qu'il sait de moi, ce prof, que moi je ne sais pas? Ça m'intrigue, mais bon! Je lui dis, avant de quitter l'école pour l'été :

— Merci pour tout.

Ce prof ne le sait pas, mais si je vis une vraie histoire d'amour, ce sera grâce à lui.

~

Nicolas ne m'a pas appelée. Et si Léa était là-bas, à Québec, et si... Et s'il m'avait déjà oubliée? Après tout, on s'est juste embrassés deux fois.

C'est donc bien compliqué, la vie à jeun! L'amour itou, ostifi!

~

— Mandoline, téléphone.

YES!

Trente et un

C'est la première fois que je viens chez lui. Je suis nerveuse. Ou énervée. C'est quoi la différence?

Je frappe. Il m'ouvre.

— Entre, me dit-il.

On se regarde. On sourit. On regarde ailleurs puis on se re-regarde. On s'évite, mais pas longtemps. On dirait qu'on ne sait pas comment agir. Sécher sur place ou s'enraciner dans les bras de l'autre?

Je m'approche de Nicolas, me lève sur la pointe des pieds et lui flanque deux petits becs sur les joues :

— Salut!

— Salut! me répond-il.

Il a dit « Salut » en saisissant ma tête. Il me regarde dans les yeux. Regarde loin, loin en moi. Puis son visage se penche et ses yeux se ferment. Ses lèvres atterrissent sur les miennes, je ferme aussi les yeux. Dans le noir, mon bonheur s'agite comme un chiot fou.

C'est donc bon! Le temps se suspend. Plus rien n'existe à part nous deux collés-collés. Doux, le baiser. Bon. Long, aussi.

Puis je m'exclame :

— Ostifi!

— Qu'est-ce qu'il y a? As-tu vu une apparition? me demande Nicolas.

Je pointe mon doigt vers la bibliothèque. Les bibliothèques, en fait, parce qu'elles sont quatre. Tous ces livres qui débordent de partout, par terre, stationnés en double sur les tablettes. Et moi qui trouvais que Claire en avait beaucoup.

Je demande :

— Tu les as tous lus ?

— Non. Mais la moitié au moins.

Comment peut-on se farcir le crâne avec autant de mots ? Moi, tout ce que je lis, à part les textes obligatoires pour l'école, ce sont des articles pas compliqués dans des revues de filles.

Nicolas me dit :

— Je puise beaucoup de réconfort dans les livres, tu sais.

— Moi, juste à les regarder, ça m'épuise beaucoup, tu sais.

Il rit.

— Il y a tellement de phrases qui se font toutes seules dans ma tête ! Je ne sais même plus où les mettre. Alors, en rajouter...

— La piqûre de la lecture, on peut l'avoir n'importe quand, ajoute mon bel intellectuel en se dirigeant vers la table de la salle à manger.

— Je te sers un verre ?

Au centre de la table, il y a une bouteille de vin rouge et deux verres. Nicolas porte la main à son front :

— Excuse-moi, j'ai complètement oublié que...

— T'en fais pas ! Tu dois avoir de l'eau.

— Eau minérale, jus...

— Eau-tout-court.

Nicolas disparaît à la cuisine. J'en profite pour écornifler. C'est joli, ce désordre organisé. Ça traîne juste ce qu'il faut mais pas trop. Je jette un coup d'œil à la salle de bains en face de l'entrée. La porte entrouverte, au bout du couloir, doit être celle de sa chambre. La chambre de Nicolas. Je ne m'y aventure pas, quand même ! Au fond du salon, il y a un coin bureau. Je jette un coup d'œil à sa table de travail. Sur une pile de documents, il y a une chemise étiquetée : Dossier Raccrocheurs.

— Top secret ! m'avertit Nicolas.

— Je fouine un peu, mais je ne fouille pas vraiment. Ton article sur moi, tu l'as écrit?

— Tu es bien curieuse.

— Si c'est écrit, je pourrais le lire.

— Ne mélangeons pas le travail et le privé, tu veux?

— Je veux bien. Mais ce qui est du travail pour toi, c'est du privé pour moi!

— Tu marques un point. Mais je ne change pas d'idée.

Je tourne les talons. Un tableau sur le mur me saute au visage. Un corbeau, botté comme le chat botté, brindille au bec. Ses ailes forment une longue cape noire. Il marche. Je n'aime pas ce tableau. Je ne sais pas si c'est le tableau ou l'émotion qu'il suscite en moi que je n'aime pas.

Un cadeau de Léa. Son cadeau d'adieu à Nicolas. Ça règle la question : je déteste l'émotion que ce tableau suscite en moi et je déteste le tableau-tout-court.

— Elle trouvait que cet oiseau, aux allures de chevalier, me ressemblait, me dit Nicolas en me tendant le verre d'eau.

— Elle en fumait du bon, ton ex!

— Il est rigolo, non?

Ça paraît qu'il n'était pas dans mon cauchemar, lui!

— Moi, ça ne me fait pas rigoler.

— Tu veux que je le vire de bord?

Il me niaise? Il ne me niaise pas?

— Et qu'est-ce que tu fais si je te dis que je n'aime pas ton sofa? Tu le balances par la fenêtre?

Nicolas me fait signe que oui.

— Est-ce que je vais finir par te *sizer*, toi? Voyons, comment on dit ça en français?... te saisir?

— Saisis-moi tant que tu voudras. Tout de suite, si tu veux! me répond-t-il en me tendant les bras.

— Je ne la saisis pas, celle-là!

Ah! Ah! Et je lui tire la langue.

— Pour une fille qui clame haut et fort ne pas aimer la grammaire, je trouve que tu prends pas mal de plaisir à jouer avec les mots.

Je réplique :

— Que veux-tu, il faut prendre le bonheur partout où il se trouve! Pas de gaspillage!

— Entièrement d'accord avec toi.

Des photos sur le bahut attirent mon attention. Je m'empare d'un cadre. Un gros bébé joufflu, cheveux touffus, noirs, noirs, noirs, dans les bras d'une jolie femme, cheveux noirs itou.

— C'est la seule photo que j'ai de ma mère et moi. Je veux dire, ma mère et moi, sans Luce, me précise Nicolas.

C'est clair, il ne blague pas. On touche à une corde sensible, je pense.

Puis il me montre les trois fées de son enfance. Deux sorcières et une avocate du diable, en fait : Loulou, Mamoushka et Mado.

La binette de sa tante Loulou me dit quelque chose. Je cherche, mais je ne la replace pas.

— Marie-Louise, c'est la plus... ailée, pour ne pas dire *flyée*, du quatuor. Ancienne hippie, ancienne infirmière, ex-féministe endurcie, elle épousera Octave, cet été, un parfumeur avec qui elle crée, maintenant, des parfums personnalisés, si tu vois ce que je veux dire.

— Non, je ne vois pas.

Nicolas se penche et m'offre son cou à sentir.

— *Nicolas* de Loulov, créé expressément pour moi.

— Là, je vois. Et qu'est-ce que tu sens bon!

J'embrasse son cou, du bout des lèvres. Nicolas ferme les yeux pour savourer. Ça ne va pas plus loin pour l'instant et c'est très bien ainsi.

Je montre la petite fille en fauteuil roulant qui tient sur ses genoux le gros bébé joufflu.

— C'est Luce?

— Oui. Et lui, c'est mon père, ajoute-t-il en me montrant la dernière photo. Voilà, tu as vu toute ma famille. Tu as faim?

Je fais un gros-signe-que-oui.

Nicolas me prend la main. Nous allons dans la salle à manger. Une question me chicote.

Trente-deux

Nicolas a préparé des brochettes de poulet, du riz et des légumes au cari. Il n'a pas débouché la bouteille de vin. Je lui dis de ne pas se gêner pour moi. Il s'assoit mais se relève aussitôt pour appuyer sur un bouton du lecteur de cd.

— Vieux blues, riz et brochettes : c'est ma spécialité.

Nous mangeons en compagnie de B.B. King, un *blues man* que je ne connais pas. Langoureuse, la musique. Langoureux aussi, nos regards.

La question qui me chicotait commence à m'obséder. Je la pose, je ne la pose pas ? Tout de suite ? Plus tard ?

Maintenant :

— Nicolas, mon passé chargé ne te fait pas peur ?

La réponse tarde à venir. Assez longtemps que j'ai le temps, moi, de m'inquiéter un peu.

— Ton passé est lourd, c'est vrai, mais toi, tu ne l'es pas, finit-il par répondre.

Comme si les coups durs n'avaient pas réussi à me briser. Abîmer, oui, mais pas briser.

Il ajoute en posant sa main sur la mienne :

— Tu es profonde et légère. Et ce mélange de profondeur et de légèreté me fait du bien. Plus que ça : ma vie en avait besoin.

Cette réponse m'apaise.

— Entre le plat de résistance et le dessert, tu auras droit à ton initiation au tango, m'annonce Nicolas.

Cette fois-ci, il blague, c'est sûr. Non. Ma dernière bouchée avalée, Nicolas m'entraîne au milieu de la pièce. La musique qui se met à jouer n'est pas du blues. B.B. King a cédé la place à Castor Pizza-là.

Non, Astor Piazzolla. Oups !

Nous sommes face à face. Je m'attends à ce que Nicolas m'enlace et m'enseigne quelques pas de tango. Non, il me propose d'écouter la musique. Mais de l'écouter vraiment.

— J'ai assisté, avec ma mère, à ce concert enregistré à Central Park. Mon grand-père d'Espagne venait de mourir, ajoute-t-il.

Nicolas ferme les yeux. Pas moi. Mon regard, je le laisse goûter au paysage qui s'offre à lui : un gars aux yeux fermés, très beau et si gentil.

Est-ce que j'aime cette musique ? Je ne sais pas. Il me semble que oui. Pour l'instant, je l'écoute sans danser. Avant, je faisais complètement l'inverse : je dansais sans écouter. Mais, surtout, mes yeux font le plein de beauté qui alimente des rêves de bonheur fou.

Je regarde les mains de Nicolas. Ses mains qui ne me touchent pas, qui ne m'effleurent même pas, c'est comme si elles me caressaient à l'intérieur.

Nicolas ouvre les yeux. Des yeux noirs qui brillent. Ce regard posé sur moi me donne chaud et faim. Faim de Nicolas. Comme si j'avais un creux au cœur parce que j'étais affamée depuis longtemps. Depuis tout le temps. Ça fait presque mal tellement c'est bon.

— *Mezcla de rabia, de dolor, de fe, de ausencia, llorando en la inocencia de un ritmo juguetón.* « Mélange de rage, de douleur, de foi, d'absence, pleurant sur un rythme enjoué ».

Magie. Nicolas met des mots sur ce que je ressens. Cette magie me bouleverse.

— C'est en ces termes que l'auteur argentin Enrique Discépolo a défini le tango.

Nicolas s'approche.

— Mandoline, depuis que j'ai posé mes yeux sur toi, je rêve de danser le tango avec toi, je te jure. Le repas n'était qu'un prétexte.

Le repas, c'était le prétexte pour danser le tango ? Ou le tango, le prétexte pour... Soudain, la peur débarque. Entre humour et désir, elle se faufile.

— Mandoline, j'ai une confession à te faire.

Je l'interroge du regard.

— Il n'y a pas de dessert. J'ai complètement oublié d'aller le chercher à la pâtisserie.

Je réplique en faisant mine d'être fâchée :

— Alors je fous le camp !

Nicolas m'attrape par la main, m'attire à lui.

— Et moi, je vais t'embrasser pour essayer de te convaincre de rester.

Il prend mon visage entre ses mains. Nos cœurs battent en duo. Entends-tu, Nicolas ? Nos cœurs dansent le tango. Nos lèvres et nos langues aussi.

Tu goûtes bon, Nicolas, tu goûtes tellement bon.

La peur danse, elle aussi. Mal, mais elle danse. La peur d'avoir l'air ridicule. J'hésite, mais je le dis :

— Nicolas, je... je n'ai jamais fait l'amour à jeun.

— Et moi, je n'avais jamais rêvé de danser le tango avec une femme avant de te rencontrer.

Je réplique :

— Arrête de niaiser ! C'est sérieux, ce que je t'ai dit.

— Moi aussi, c'est sérieux ce que je t'ai dit.

Nicolas a appris le tango quand il était enfant, avec sa mère, qui elle l'avait appris de son père argentin. Dans leur famille, le tango, c'est sacré. Avant, ça ne l'était pas pour Nicolas. Mais maintenant...

— Je rêve de danser le tango avec toi. Je rêve aussi de t'entraîner dans ma chambre. Oui, j'ai envie de toi. Oui, je pense à faire l'amour avec toi. J'y pense des centaines de fois par jour au moins. Le tango, ce n'était pas un prétexte pour t'entraîner dans ma chambre. Mes deux rêves se chevauchent, mais ils ne sont pas obligés de se réaliser en même temps. Veux-tu dormir ici, cette nuit, avec moi ?

Et il ajoute, tout en murmures :

— Mandoline, tu n'as jamais fait l'amour à jeun. Un jour, ce sera la première fois. J'aimerais que ce soit avec moi. Mais quand tu voudras. Pour l'instant, je te réitère mon invitation : veux-tu dormir ici, cette nuit, avec moi ?

Tant de douceur sur son visage, dans sa voix et ses yeux. Elle me chamboule à en pleurer, cette douceur.

— Oui, je... Je veux dormir avec toi.

Nicolas me tend la main. Nous marchons vers sa chambre. Nous nous assoyons sur le lit. La peur m'a suivie. Mon Dieu, donne-moi la sérénité d'accepter... ce long baiser. Un pont suspendu au-dessus de la peur pour aller dans le cœur de l'autre.

Les mains de Nicolas explorent mon visage. Ses doigts se posent sur mes sourcils, descendent doucement et tracent des cercles autour de mes yeux en frôlant mon nez. Puis ses paumes, toutes chaudes, effleurent mes joues. Un doigt se glisse entre mes lèvres, les entrouvre en les caressant. Je vais de frisson en frisson.

Nicolas me trouve belle, tellement belle.

— Gerry est le con le plus con que la terre ait porté, me dit-il.

Et moi de répliquer :

— Et Léa, la conne la plus conne. On pourrait les jumeler !

Puis je demande à Nicolas s'il veut me prêter son tee-shirt pour dormir. Je précise :

— Parce que ça sent toi et que tu sens bon.

Mais je n'attends pas sa réponse, je retire son chandail avec des mains si énervées qu'elles tremblent un peu. J'aperçois une cicatrice, toute petite, sur sa poitrine.

— C'est quoi, cette cicatrice ?

En m'approchant pour l'embrasser, je découvre que c'est un tatouage. Il est écrit, en lettres attachées : *Et alors ?*

— Une cicatrice. Tu n'as pas tort, me répond Nicolas, l'air mal à l'aise.

Blessure de fille, j'en suis sûre.

— Elle s'appelle Léa Laure. Je l'avais surnommée *Et alors?*

Cette Léa, Nicolas l'avait dans la peau. Tellement qu'il a gravé son surnom dans sa chair.

Il affirme qu'il s'est sevré d'elle, mais l'est-il vraiment? Après tout, c'est elle qui est partie. Elle pourrait revenir n'importe quand.

Le doute est un monstre puissant. Je dois faire un effort suprême pour ne pas succomber à la dose de poison qu'il me tend. Le doute insiste. Pour tenir bon, je m'accroche à la devise de Claire : *L'inquiétude est un luxe au-dessus de mes moyens.*

— Est-ce que ça va, ma belle? murmure Nicolas en bécotant le lobe de mon oreille.

Je secoue la tête en guise de... ni oui ni non. Parce que ça va merveilleusement bien et extrêmement mal en même temps. Mais je n'ai pas envie d'avouer que je déteste Léa Laure et que j'ai peur d'elle. Que je la déteste parce que j'ai peur d'elle. La rigoureuse honnêteté, Mandoline. Rigoureuse.

Il y a Léa, c'est vrai, mais ce n'est pas tout. J'ai vingt ans physiquement, mais dans mon cœur, ici-maintenant, j'en ai quatorze. Quatorze ans, avant que je me cache pour qu'on ne me trouve pas. Avec un cœur qui n'est pas enfoui sous la neige. Un cœur qui ne s'est pas noyé dans le whisky.

Nicolas caresse avec douceur, du bout des doigts, mes rondeurs de femme, «ces courbes exquises», précise-t-il.

Mon corps se raidit.

— N'aie pas peur, me dit Nicolas en embrassant ma nuque.

Le bras se faufile. Le serpent rampe sur moi. Je chasse la main de Nicolas en murmurant :

— Je ne peux pas.

— Ça ne fait rien, ma douce. On a tout notre temps.

À l'intérieur de moi, c'est encombré de tant de gestes faits, toujours les mêmes, en apparence des caresses, mais en dedans, ce n'en était pas. Il n'y a plus de place en moi pour les caresses de Nicolas, alors que tant de mains anonymes se sont promenées sur ma peau. Ces mains qui volaient ou achetaient du plaisir étouffent ta douceur, Nicolas. Ma mémoire est un terrain laissé à l'abandon envahi par les mauvaises herbes. Les mauvaises herbes empêchent les fleurs de pousser, Nicolas.

Mon Dieu, comment on s'y prend pour aimer et se laisser aimer en faisant les mêmes gestes qui nous détruisaient? L'alcool, tu rebouches la bouteille, et ça va tant que tu n'y retouches pas. Pareil pour la drogue. Mais un gars?

Je jouais de mon corps. Un air connu. Toujours le même. À présent, c'est une autre musique, Mandoline. Oui, c'est une autre musique, mais je ne sais pas la jouer. Je ne l'ai pas apprise.

Je finis par tomber de fatigue... dans les bras chauds et les mots doux de Nicolas.

Trente-trois

Le maudit corbeau. Encore. Vorace et terrifiant. J'ai les mains liées derrière le dos. L'oiseau fonce sur moi. Je cours sur un chemin de poussière en tentant désespérément de lui échapper. Je cours, mais mon genou flanche. Je m'oblige à rester debout. J'essaie, mais je m'effondre. L'oiseau bondit sur moi. Il se jette sur ma figure avec frénésie. J'essaie de détourner la tête, mais en vain. D'un grand coup de bec, le corbeau m'arrache un œil et l'avale. Je n'ai pas le temps de réagir, tout va si vite, l'oiseau noir s'empare de mon autre œil et le mange. Je sens mes orbites vides. Le vent froid s'engouffre dans mes trous et me glace jusqu'aux os. Repu, le corbeau lance un grand cri de satisfaction, puis je l'entends s'envoler.

Je me réveille en sueur, avec ces images de fille sans yeux à soulever le cœur, et la sensation d'avoir les orbites vides. C'est dégueulasse. Puis je me rappelle où je suis et avec qui. À côté de moi, Nicolas dort, paisible. Je le regarde. Une grosse vague de tendresse m'inonde le cœur, mais la colère se met à gronder. C'est enrageant de voir le bonheur à travers la fenêtre, de l'entendre frapper à notre porte et de ne pas pouvoir lui ouvrir parce que le passé nous a lié les mains !

Je sais que je ne me rendormirai pas. J'ai envie de me coller contre Nicolas, de lui faire un gros câlin. Je ne veux pas le réveiller. J'effleure ses cheveux, me lève, lui lance un dernier regard. Comme si c'était le dernier. M'en vais. En courant : dans l'escalier, sur le trottoir, en traversant la rue.

Quelqu'un me suit. Cours, Mandoline ! Cours !
Je ne me retourne pas.

.

Trente-quatre

J'arrive chez moi, essoufflée. Triste, aussi. Et j'ai peur.

J'envoie un courriel à Nicolas : *Merci. Ne t'inquiète pas pour ma fugue. Je t'expliquerai.* Puis je me couche.

Au bord de l'endormissement, un bruit me terrifie. On dirait que quelqu'un a tenté de fracasser la vitre de ma fenêtre. Je me précipite pour entrouvrir le store : la vitre est intacte. J'expire de soulagement.

Je me recouche. Je ne peux pas me rendormir. Je me relève. J'irai méditer sur mon banc.

En mettant les pieds dehors, je découvre sur l'asphalte, sous la fenêtre de ma chambre, un grand oiseau noir. Mort. Les images de mon cauchemar me reviennent en mémoire. Je frissonne. Je me mets à trembler. J'hésite, mais je décide d'aller chercher quelque chose pour ramasser le cadavre.

Je ressors avec un sac de plastique. L'oiseau a disparu.

Trente-cinq

A ube. Seule sur mon île verte. Encore tout ébranlée par l'étrange coïncidence : l'oiseau de mon cauchemar qui me poursuit dans la réalité. Mais qu'est-ce que tu me veux, corbeau de malheur ?

Une pancarte annonce que la maison croche est à vendre.

J'essaie de rassembler mes idées, mais plus j'essaie, plus je m'enrage. Pendant des années, je me suis fait tripoter par n'importe qui, n'importe comment, mais je suis incapable de laisser quelqu'un qui compte pour moi et qui tient à moi me caresser avec douceur.

Moi, je sais séduire, je ne sais pas aimer. Je me lance dans la passion comme on déboule un escalier, mais je n'arrive pas à monter les marches une à une et à entrer dans l'amour. Je suis si fatiguée. Et déçue... et je cogne des clous. Mes yeux se ferment tout seuls. Je m'endors, assise sur le banc.

∼

— T'aurais pas un peu de monnaie pour que je m'achète un café ?

La voix de l'homme me tire de mon sommeil. J'ouvre les yeux. Crâne dégarni, quelques mèches ébouriffées, un clochard me tend sa paume craquelée. Sa voix m'a troublée. Je ne sais pas pourquoi, mais je n'aime pas ça.

Je dévisage l'homme. Lui aussi m'observe avec attention. En fouillant dans mon sac en quête de monnaie, j'échappe mon porte-clefs. L'homme se penche pour le ramasser. Son regard s'affole et me rentre dedans comme un coup de poignard. Le clochard me donne mon porte-clefs, me le lance presque, comme s'il était brûlant, et se sauve sans son dû. Je me lève pour l'appeler. Les sons ne sortent pas. Je m'écroule sur le banc, la monnaie dans une main, l'autre main dans la bouche. Je ronge mes ongles comme quand j'étais petite. Parce que mon papa n'est pas rentré. Il n'est pas venu me border en m'appelant Petite Douceur. Mon papa ne revient pas. Il ne reviendra pas. Maman pense qu'il faut se faire à l'idée. « C'est pas une bonne idée » que je crie à ma mère, mais elle ne m'entend pas. Elle dit : « Arrête de bouffer tes ongles, c'est laid. » M'en fous si c'est laid. M'en fous, m'en fous, m'en fous, bon !

Je n'ai plus d'ongles à ronger et j'ai soif. Je quitte le banc de bois comme s'il venait de s'enflammer. Le feu est en moi. Se propage dans ma mémoire. Avant, le whisky endormait la peur et la douleur. Chaleur dans la gorge pour empêcher le froid de descendre jusqu'au cœur.

Je cours comme une folle dans la rue.

Cette maison me ressemble : toute croche, hantée, sur le point de tomber.

Moi, je n'avais personne en qui croire. J'ai emprunté les dieux des autres et j'ai foncé, tête baissée, comme un taureau dans une arène. Sans me méfier du matador.

Je cours pour échapper à l'incendie. Mes émotions me brûlent. Me dévastent. Vont m'engloutir toute. Surtout ne pas laisser le lien se faire. Surtout !

Je cours et, dans ma tête en feu, je hurle à ces dieux qui se foutent de nous : « Si vous existez, pourquoi vous me laissez m'enfoncer dans mes idées noires au lieu de me tendre une main secourable ? Qu'est-ce que ça vous fait de voir souffrir les gens ? Avez-vous fini par être immunisés contre la douleur humaine ? Peut-être que vous passez votre temps à somnoler et à vous soûler comme des trous. Donnez-moi donc une seule bonne raison pour que je continue à vous faire confiance ? Vous ne trouvez rien pour me convaincre, hein ? Au fond, vous êtes comme mon père :

capables de donner la vie, pas de l'assumer. Vous avez créé le monde, mais vous n'avez pas su le faire tourner rond. Moi non plus, je ne tourne pas rond... »

Je cours de toutes mes forces, mais la salope court plus vite que moi.

Je m'arrête pour reprendre mon souffle. Je vois son reflet dans la vitrine. Une salope de la pire espèce, plus puissante que tous les salauds réunis que j'ai connus. Elle rôdait, j'en étais sûre. Me guettait. M'attendait.

Pourquoi tu n'es pas là, papa, pour empêcher la salope de m'attraper? Elle me veut du mal, tu sais. C'est tout ce qu'elle me veut.

Si ça se trouve, tu as recommencé ta vie avec une autre femme, tu lui as fait des enfants et tu nous as oubliées, Aude et moi. Peut-être même que tu es heureux avec ton trou de mémoire. Aude et moi, dans ce trou, à jamais.

Chaleur dans la gorge pour empêcher le froid de descendre jusqu'au cœur. La salope me sourit. J'ouvre la porte. Vite. Je n'hésite même pas, me rends là où j'ai besoin d'aller. Il faut enrayer ces flammes de douleur vive. Vite, Mandoline, vite!

Je ressors presque soulagée, une bouteille de whisky sous le bras.

Trente-six

La main sur le combiné du sans-fil, Claire me dit :
— C'est Nicolas.

Je chuchote pour que l'interlocuteur au bout du sans-fil ne m'entende pas :

— Suis là pour personne.

Claire sort de ma chambre pour achever la conversation. Elle revient.

— Mandoline, pour l'amour de Dieu, qu'est-ce qui s'est passé ?

— Parle-moi pas de Dieu ! Je ne veux plus rien savoir de lui. Je ne veux plus rien savoir de moi ! Je ne veux plus rien savoir de rien, en fait !

— Si tu as besoin de moi, tu sais où me trouver ! ajoute-t-elle. C'est ça, va-t'en !

~

Quand je prends mon oreiller, cette pensée tombe de la taie : *Rentre en toi-même, frappe à ton cœur et demande-lui ce qu'il sait. William Shakespeare*

Désolée ! Ça ne répond pas. Il a dû déménager et il est parti sans laisser d'adresse. Je froisse le bout de papier, le lance par terre et me couche.

Puis je hurle :

— Arrête de m'écœurer avec tes maudites pensées magiques à la con ! C'est-tu clair, Claire ?

Trente-sept

Le téléphone sonne. Je décroche.
— Mando, c'est Isa.
— Je ne peux pas.
— S'il te plaît, Mandoline.
Je crie :
— Isabelle, je t'ai dit que je ne peux pas !
— Mais...

Je tire sur le cordon jusqu'à ce qu'il s'arrache de la prise. Je cours à la salle de bains avec le combiné et son fil qui pend. Là, je m'empare des ciseaux et coupe le cordon torsadé au-dessus de la cuvette. Je coupe, je coupe, en regardant les anneaux noirs tomber dans l'eau, jusqu'à ce qu'il ne reste qu'un tout petit bout de cordon. Lui, je le garderai. Je donne un dernier coup de ciseau, jette le combiné dans la cuvette et actionne la chasse. Maintenant, je glisse l'anneau noir à mon annulaire. L'alliance de la prêtresse Lilas.

Je sursaute. Claire a entrouvert ma porte de chambre. Je rêvais.

— À ce que je vois, tu n'es pas en état d'aller travailler aujourd'hui non plus, me dit-elle.

— Eh, non ! Et je ne suis même pas en état d'appeler pour dire que je ne rentre pas.

C'est comme ça ! Je n'occupe plus d'emploi à temps partiel depuis que le whisky s'occupe de moi à plein temps ! Ah ! Ah !

Claire referme ma porte. Bon débarras !

Trente-huit

— C'est encore Nicolas. Qu'est-ce que je lui dis? demande Claire.

— Tu es Alzheimer ou quoi? Suis pas là!

— Il est inquiet. Il veut savoir où tu es et pourquoi il est sans nouvelles de toi.

Elle est fatigante, elle, avec son insistance!

— Suis là pour personne! Pour toi non plus! Fais de l'air!

Avant de sortir de ma chambre, Claire murmure de sa voix douce qui me tape de plus en plus sur les nerfs :

— Je te rappelle que tu loues une chambre dans ma maison. Une chambre que tu n'as pas payée ce mois-ci.

— Ben oui, ben oui.

Mon beau Nicolas. Toi, je ne t'ai pas laissé la chance de faire comme tous les autres! Tu vois, je suis gentille : je t'épargne ma rancune.

Trente-neuf

— Celle qui te remplace au bureau a commencé aujourd'hui, m'annonce Claire de l'autre côté de la porte.

J'ai été virée. Ils n'ont pas perdu de temps !

Je crie :

— Tant mieux pour elle !

Claire n'a pas ouvert ma porte de chambre. Elle ne supporte plus de me voir traîner au lit du matin au soir et du soir au matin. Enfin, je crois.

Avec quoi je vais payer mon loyer ? Et puis merde !

Quarante

Claire m'a fait du vrai bouillon. Avec une carcasse de poulet qui a mijoté pendant des heures. Je n'en ai rien à cirer, de son bouillon de poule! Je lui dis :

— C'est pas assez fort pour moi!

J'ajoute, baveuse :

— Ça dépend! Est-ce que c'est bon avec du whisky?

Claire ne répond pas.

Quarante et un

— T a mère a téléphoné, m'annonce Claire derrière la porte.
— Si elle rappelle, tu peux lui dire de manger un char
d'assaut de bêtises de ma part, OK ?

Et qu'elle s'étouffe avec !

— C'est ton anniversaire, Mandoline.

Je m'en sacre ! Je m'en contrefous ! Claire frappe trois petits
coups et ouvre ma porte avant que j'aie le temps de répondre :

— C'est pour toi.

Elle dépose sur mon lit un plateau. Une grande assiette bondée
de mets chinois et un énorme morceau de gâteau avec... vingt et
une bougies. Mais pas de biscuits de fortune !

Claire quitte ma chambre mais revient aussitôt. Elle m'énerve !

Un paquet cadeau atterrit doucement juste à côté du plateau.

— Joyeux anniversaire, Mandoline, me dit Claire avant de
repartir.

Il y avait un joli paquet cadeau aussi sur le bateau. Quel joli
bijou il m'a offert, Robert-Pierre, pour mes quatorze ans. Une
chaîne en or de trois couleurs, rose, blanc, jaune, incrustée de
vraies pierres précieuses.

— Elle est bien trop grande pour le poignet de Mandoline !
crie ma petite sœur.

— Non, Aude, elle n'est pas trop grande. Ça se porte à la
cheville, de lui expliquer Robert-Pierre.

— Bonne fête, Mandoline !

Et ma très chère maman, qui refuse de se mêler de ce qui la regarde, s'acharne à se mêler de ce qui ne la regarde pas :

— Mais dis merci à Bob, Mando !

Merci, gros cochon, de promener tes sales pattes partout, partout sur moi.

— Voyons, Mando, donne un bec à Bob !

— Avec ou sans la langue, maman ?

Le coup est parti. La main de ma mère est un fusil.

— Tu te penses drôle, ma fille ?

— Non, maman, je suis sérieuse.

Et ma petite maman s'empresse de réconforter son Bob :

— Excuse-la, Robert ! Tu sais comment sont les ados !

J'ai mal à la joue. Mais ne t'inquiète pas, p'tite mère, je ne pleurerai pas.

— Dans les pays où les gens crèvent de faim, il y a des parents qui vendent leurs enfants pour pouvoir manger. Toi, maman, pourquoi tu m'as donnée ? Tu crèves de quoi ?

Ma petite maman charge de nouveau. Gros Bob retient ses mains. Pour qu'elles ne m'abattent pas.

La maman crie :

— Petite garce !

Pas grave. Demain, on fera comme si de rien n'était.

— Viens, Aude, on va aller se promener sur le pont.

Ma petite sœur a eu tellement peur qu'elle a pissé sur le plancher de la cabine.

— Pas grave, ma puce.

Avant de tourner le dos aux amoureux, je leur lance à tous les deux du poison avec mes yeux et leur laisse la trace de pisse à nettoyer.

La grande sœur prend sa petite sœur par la main et l'entraîne. Dans la salle de bains, elle la débarbouille, lui donne une culotte propre. Sur une joue de la grande, l'empreinte des doigts de leur mère.

— Regarde ce que j'en fais de ton bijou, gros porc !

Je le flanque dans les chiottes et j'actionne la chasse !

— Mandoline, veux-tu que je donne un gros bec sur ta-joue-que-maman-t'a-fait-mal ?

La petite sœur console sa grande sœur. Main dans la main, toutes belles, la grande et la petite vont se pavaner sur le pont du Vaisseau d'or.

— Tu l'aimais pas, ta chaîne de pied, Mando ?

— Non, je l'aimais pas. Elle était très laide, tu trouves pas ?

— Oui, elle était très laide... Mais pas tant que ça quand même.

Demain et après-demain, on fera comme les jours d'avant, on fera comme si de rien n'était.

— Elles sont tellement mignonnes, vos filles, madame Chose.

Et la petite madame Chose de répliquer à l'autre madame Chose :

— Merci-merci. Ah, mais les ados, je vous jure, c'est pas un cadeau !

Et l'autre madame Chose de la rassurer :

— Eh ! que je vous comprends !

Oui, on fera comme si de rien n'avait été :

— Comment ça, tu as perdu ton beau bijou, ma belle chouette ?

— Comment ça, tu me poses cette question-là, ma belle maman d'amour ? La réponse, tu veux pas la connaître !

La petite fille que j'ai vue dans l'auto du salaud a-t-elle dit à sa mère pourquoi son regard s'était éteint ? A-t-elle égaré, elle aussi, un beau bijou que Bob Leroux lui avait offert pour son anniversaire ?

Je flanque le paquet de Claire sous le lit sans l'ouvrir.

Pourquoi tu n'es pas là, papa, pour empêcher le monsieur de s'amuser avec moi ? Et pourquoi j'ai toujours cinq ans quand je pense à toi ?

Mes mains arrachent les bougies et plongent dans le glaçage à gâteau. Je me bourre de sucre.

Quarante-deux

Claire m'apporte mon courrier. Comme c'est gentil! Sara Lemieux m'a écrit. Sara que je n'ai pas rappelée pour lui dire que je l'ai vue jouer. Oh! La carte postale vient de très, très loin : le Yukon. Je la lis à haute voix : *Ai-je trouvé au Yukon ce que tes amis appellent «Puissance supérieure»? Je ne sais pas comment la nommer, mais c'est une petite flamme qui brille à l'intérieur de moi.*

À bientôt,

Sara

— Une petite flamme brille à l'intérieur de mon amie Sara Lemieux! Tant mieux pour elle! Je sais pas combien de temps la mèche va durer, par exemple! Moi... ma chandelle est morte, je n'ai plus de feu...

Ma coloc, oh, pardon, ma logeuse, n'a pas l'air d'apprécier ma version rock et a capella d'*Au clair de la lune*. Je pense même que ça la fait fuir!

— Toi, Claire, tu n'as pas de problème à la nommer, cette Puissance supérieure, pas vrai?

— Aucun problème. Elle s'appelle Dieu et je m'en porte très bien, me répond-elle en amorçant de nouveau sa sortie.

Je l'interpelle :

— Tu veux que je te dise qui est ton Dieu? Un sadique qui se déguise en père Noël! Dans la nuit du 24 au 25 décembre, il apporte des tas de cadeaux. Le matin, les petits enfants les déballent, émerveillés.

— Je ne vois pas en quoi ça fait de lui un sadique, réplique ma logeuse.

Je la dévisage et lui balance :

— Évidemment, que tu ne vois pas ! Moi non plus, je ne voyais pas quand ma foi était aveugle !

Toute petite pause, puis j'ajoute :

— Ton Dieu est sadique parce que dans la nuit du 25 au 26, quand les petits enfants font dodo, le salaud revient. Il reprend tout ce qu'il avait apporté, la veille, et il sacre son camp sur la pointe des pieds. Et tu sais quoi, Claire-comme de-l'eau-de-roche ?

— Quoi ?

— Tu te rappelles la pensée magique du pot-à-épicerie : *Les coïncidences sont les messages anonymes de Dieu* ?

— Je me rappelle très bien, répond la dame, de plus en plus tannée d'assister au délire d'une alcoolo pas du tout cool.

— Ce n'est pas par hasard que ton Dieu envoie des messages anonymes. C'est pour ne pas se faire coincer ! Il est sadique mais pas fou ! Il sait bien qu'il en mangerait une maudite s'il se faisait attraper !

— Mandoline, pour l'instant, tu es soûle...

— Tss, tss ! Je suis peut-être soûle, mais comme ma foi n'est plus aveugle, je vois clair dans son jeu, à ton Dieu !

— Mandoline, je t'aime, me dit Claire.

Elle sort de ma chambre et referme la porte. Je lui crie :

— C'est ça, disparais ! De toute façon, j'en ai rien à foutre, de tes mots d'amour !

Quarante-trois

Je pige dans le pot à sous pour l'épicerie. C'est pas du vol. Non, non. Juste un emprunt. Et ça, c'est pour toi, Claire ! Une de plus pour ta collection. Je dépose dans le pot la jolie pensée que je viens d'écrire : *Donne à manger à un cochon, il va venir chier sur ton perron.*

C'était la marotte de ma maman quand mes parents vivaient ensemble.

Et si j'allais faire une petite balade, à présent ?

Quarante-quatre

M iroir, miroir, dis-moi qui est cette fille qui me dévisage. Non, toi, plutôt ! Oui, toi, la fille de la glace ou fille de glace, c'est comme tu veux !... Dis-moi qui tu es. En tout cas, moi, je ne t'aime pas la face ! Je n'aime pas grand-chose de toi, en fait. Le sais-tu ? Évidemment que tu le sais ! Tu te souviens de Mandoline, la-Petite-Douceur-à-son-papa ? Elle avait volé un toutou pour que tu te fasses piéger. Elle avait gagné le combat, ce jour-là.

Cette nuit, c'est toi qui gagnes, Lilas-la-salope. Es-tu contente ? Tu voulais ma peau ? Tu vas l'avoir ! Mais dis donc, qu'est-ce que tu vas en faire ? Pourquoi ne pas empailler ma tête comme celle d'un orignal ou d'un chevreuil ? Tu pourrais installer ton trophée de chasse au-dessus d'un foyer ?

Regarde, prêtresse Lilas, ce que je t'ai apporté : de la belle poudre magique.

— Excuse-moi, j'entendais parler et je croyais que tu m'avais appelée, me dit Claire, la tête dans l'entrebâillement.

Je cache la poudre dans le tiroir en hurlant :

— Fous le camp !

On a toujours besoin de quelqu'un qui a besoin de nous. Émile Ajar
Il y a une main secourable juste au bout de notre bras. Anonyme

— Tu vas voir si elle est secourable, ma main !

Je prends les bouts de papier avec les phrases à la con empilés sur ma coiffeuse, les déchire en mille miettes et regarde tomber la pluie de confettis dans ma corbeille.

Quarante-cinq

Claire entre en coup de vent. Sans frapper.
— J'ai deux mots à te dire, Mandoline !

Oh ! Oh ! Claire, d'habitude si calme et posée, a la voix et les yeux pétillants de colère. Elle n'a pas apprécié que je me serve dans le pot à épicerie pour m'acheter du whisky.

Ce n'est pas du whisky. Mais je ne le précise pas. Pot dans lequel je n'ai rien mis depuis ma cuite, me rappelle-t-elle. Je me permets cette précision :

— Ce n'est pas vrai ! J'ai mis une jolie pensée, comme tu les aimes !

Sèchement et sûrement, Claire me coupe la parole.

— Tu te démolis si tu veux, je n'y peux rien, mais tu ne touches pas à mon argent pour financer ton opération démolition, compris ?

Je suis une petite fille qu'on chicane parce qu'elle n'a pas bien fait. Une toute petite fille qui s'est fait prendre.

— Compris.

Claire semble hésiter puis s'assoit sur mon lit.

— L'état dans lequel tu es ne m'impressionne pas, tu sais.

Je réplique :

— Je n'essaie pas de t'impressionner.

— Laisse-moi parler ! Ça ne m'inquiète pas non plus, ajoute-t-elle, l'air convaincu.

Mon ex-marraine AA, qui n'a pas touché à une goutte d'alcool depuis sept ans, me rappelle qu'elle a fait deux rechutes avant de parvenir à rester sobre.

— Tu n'es pas la première alcoolique ni la dernière à qui ça arrive. Une rechute, ce n'est pas la fin du monde !

Ce n'est pas la fin du monde, peut-être, mais, moi, je ne vois pas le bout du tunnel. Ce n'est même pas un tunnel mais un puits sans fond ! Pas même une petite lueur pour m'aider à m'orienter. Mais je n'ai pas envie d'en discuter. Je m'entends marmonner :

— En tout cas, ça prendrait une fichue de grosse lumière pour m'éclairer !

Le téléphone se met à sonner. Je tressaille jusqu'à en avoir des frissons.

— Excuse-moi, me dit Claire avant d'aller répondre.

Presque aussitôt, le bruit des pas m'annonce le retour de Claire. Dans l'embrasure de ma porte, elle me dit :

— C'est pour toi.

Et si c'était Nicolas ?

— Suis pas là.

Claire s'approche du lit en laissant sa main sur le combiné.

— Elle s'appelle Jennifer, chuchote-t-elle.

— Connais pas.

— Elle dit que vous vous êtes rencontrées dans un parc. Tu lui as donné ton numéro de téléphone, au cas où...

... elle aurait envie de s'en sortir.

La fille couchée sur mon banc, brisée par le feu noir. Qu'est-ce que je fais ? Isa. Tu te rappelles Isa, quand même ? Oui, mais je ne suis pas en état d'aider qui que ce soit. Jennifer, vas-tu la laisser tomber sous prétexte que tu es en rechute ?

Ça prendrait une fichue de grosse lumière pour m'éclairer !

Ma main tremble, comme la main d'une vieille bonne femme.

— Allô ?

— J'allais me *shooter*. Une dose fatale... Un bout de papier, avec ton prénom et ton numéro de téléphone, est tombé direct sur la cuillère. Je... alors j'ai appelé.

Il y a une main secourable juste au bout de notre bras. Personne ne peut aider tout le monde, mais tout le monde peut aider quelqu'un.

— Tu as bien fait. Oui, tu as bien fait.

Quarante-six

Claire, les yeux fermés, pose son doigt, au hasard bien entendu, sur la cinquième promesse. Au hasard, vraiment ?

Si profonde qu'ait été notre déchéance, nous verrons comment notre expérience peut profiter aux autres.

Jennifer a dit :

— Dans la cabine de téléphone... au coin de la rue...

On y est. Y sera-t-elle encore, elle ?

Oui. Jennifer, le regard affolé, a l'air d'un petit animal traqué dans sa cage : la cabine téléphonique. Claire-pleine-d'expérience fait tout avec douceur : lui tendre la main, lui parler, l'inviter à venir avec nous.

— Où ça ? demande Jennifer.

— Au Partage. C'est un centre de désintoxication.

Le même où je suis allée. Claire a ses contacts. Elle a appelé avec son cellulaire pour savoir si elle pouvait amener quelqu'un. Jennifer a le choix de dire oui ou non. On nous dit que nous avons le choix. Mais ce choix qu'on nous offre, il ressemble beaucoup à un piège. Juste un piège de plus sur une route cahoteuse.

La fille du parc hésite. Petite bête traquée. Elle dit oui. Coincée entre mort et vie. C'était comme ça pour moi en tout cas. Je pensais : « La mort me fait peur et je ne veux pas d'elle. La vie me fait mal et on dirait qu'elle ne veut pas de moi. »

Claire ouvre la portière de sa voiture. Jennifer refuse de s'asseoir devant. Elle se laisse glisser à l'arrière, les bras croisés, la tête baissée, les yeux fermés. Boule qui tremble.

Recroquevillée, comme elle, dans l'auto qui me menait au Partage, je tremblais comme une feuille, moi aussi, parce que le vent était glacial et fou. Et ces gens qui me conduisaient en cure, je les maudissais, je les bénissais. Deux émotions collées. Opposées mais collées. Est-ce que Jennifer fait pareil en ce moment ? Nous haïr et nous apprécier, Claire et moi, aussi fort et en même temps ? Ostifi que ça me fatigue, toutes ces pensées qui me repassent par la tête ! Je ne sais plus où j'en suis, mais je suis contente que Jennifer ait dit oui.

La porte du Partage s'ouvre. Jean-Claude Rivard apparaît dans le cadre. C'est lui qui m'a reçue quand j'ai débarqué ici. Il m'a dit que le toutou volé m'avait probablement sauvé la vie. Je l'ai envoyé promener.

C'est ici que j'ai connu Marco. En cure pour la deuxième fois, il m'a appris à jouer au billard. J'ai rencontré Claire grâce à Marco. C'est lui qui m'a fait connaître le groupe Les Soleils levants. Qu'est-ce qu'il est devenu, Marco ?

Jennifer ne parle pas, mais elle me dévisage avec des yeux qui hurlent. Je lui confie tout bas :

— J'étais pareille comme toi quand j'ai mis les pieds ici. Pareille-pareille.

Je ne lui souhaite pas bonne chance parce que moi, ça m'a fait vraiment suer quand on me l'a dit.

Pourquoi je ne lui ai pas avoué « J'étais pareille comme toi, ce soir, avant que tu m'appelles » ?

~

Sur le chemin du retour, je remercie Claire pour son aide.

— L'entraide, c'est l'un des piliers de notre rétablissement. Tu dois commencer à t'en rendre compte, me répond-elle.

Sans commentaire.

Quarante-sept

Quelque part en août, 5 heures 17. Je n'ai pas fermé l'œil de la nuit, sa paupière était trop lourde ! Ah ! Ah ! La paupière de la nuit était trop lourde !

Le matin se pointe et ma vie s'intitule *Fille perdue ne sait pas si elle continuera à chercher.* Ou encore : *Folle raide comme un fil de fer, ma vie en suspens dessus.* Qu'est-ce que je suis drôle !

La nuit, je l'ai passée assise devant ma coiffeuse, à bercer le sachet de poudre magique comme si c'était un tout petit bébé.

Nuit blanche à regarder la fille du miroir jongler avec des souvenirs. Nuit blanche à assister au combat entre Petite Douceur et Lilas. Nuit blanche à ne pas boire de whisky parce que je n'en ai plus. Parce que je n'en ai plus ou parce que je n'en ai plus envie ? Pas pris de décision. Pas capable d'en prendre pour l'instant. Sais vraiment rien de rien depuis notre retour du Partage, où nous avons conduit Jennifer. Jennifer-qui-m'a-peut-être-sauvé-la-vie. Ça reste à voir.

Si cette fille ne m'avait pas appelée, est-ce que j'aurais pris la poudre ? Je l'ai achetée. J'ai volé Claire pour la payer.

La nuit a fini par passer. Sans que je me soûle ou que je me gèle la gueule. Sobre, je l'ai été pendant plus d'un an. J'ai tenté de me faire une nouvelle vie. Mais les fantômes du passé ont les dents longues. Ma nouvelle vie, ils la bouffaient au fur et à mesure sans que je m'en aperçoive ! À quoi elle ressemble, aujourd'hui, ma nouvelle vie ? À un paquet d'os. Comme mon histoire avec Gerry, les derniers temps. Comme moi à la fin de mon histoire avec Gerry. Paquet d'os.

L'amour m'a frôlée, comme un chat se frotte contre nos jambes mais s'enfuit quand on veut le prendre. Nicolas. Mon beau Nicolas. Nicolas-que-je-n'aurais-jamais-remarqué-avant. Trop gentil, trop charmant, trop beau. J'avais besoin de me donner de la misère pour me sentir en vie. Je n'aimais que les paquets de troubles. Ça serait beau dans une petite annonce : *Paquet d'os cherche paquet de troubles pour se sentir en vie !*

Je ne veux plus de salauds, mais je n'ai pas su quoi faire d'un Nicolas.

J'étais au bord du bonheur. Mais cette fille qui me regarde voulait ma peau.

Quarante-huit

J'entends Claire se lever. Il est 6 heures 48. Sans faire de bruit, je range la poudre dans le tiroir, ferme le tiroir sur mes doigts. Je ravale mon injure et mon envie de fesser sur le meuble. Pour ne pas alerter Claire.

Je rentre sous mes couvertures et ferme les yeux.

Claire prend sa douche. Elle retourne dans sa chambre s'habiller, va déjeuner puis se brosser les dents. Elle s'approche de ma chambre. Elle ouvre la porte. Je fais semblant de dormir.

Claire marche sur la pointe des pieds jusqu'à mon lit. Elle m'embrasse sur le front. Un gros motton se forme dans ma gorge, bloque ma salive et ma respiration !

Claire quitte ma chambre. Je l'entends ouvrir la porte d'entrée puis la fermer derrière elle. Je rouvre les yeux : 7 heures 39. L'auto de Claire démarre. Le bruit m'affole. Pas le bruit de l'auto. Non, pas le bruit de l'auto.

Je m'assois dans mon lit. Le tiroir de ma coiffeuse est ouvert. Je l'avais fermé, j'en suis sûre. Sur mes doigts en plus ! Je n'ai quand même pas imaginé m'être fait mal aux doigts !

Sur le plancher... le sachet de poudre est sur le plancher !

Quarante-neuf

Je me relève, ramasse la poudre. Je sens une présence. J'avale ma salive de travers. Isa s'assoit sur le banc de la coiffeuse. J'ai la trouille. Isa me prend par la main. Ma main qui serre le sachet de poudre. Ma main qui devient toute chaude. Je dis à Isa :

— Comment ça se fait que tu es ici ? Qu'est-ce que tu me veux ?

— La mesure du temps est l'appareil que l'homme a inventé pour limiter son regard, me répond-elle.

Je réplique :

— Je ne comprends rien à ce que tu racontes, Isa.

— Comprendre la mesure est une chose. Découvrir cette dimension en est une autre. Cela sera. Cela est déjà, mais tu crois que tu ne le sais pas encore.

Mais de quoi elle cause ? Je saisis de moins en moins. Je demande :

— Et qu'est-ce que je ne sais pas encore ?

— Que tu as accès à cette dimension quand tu n'utilises pas cette mesure qui réduit la perspective.

Cette explication ne m'éclaire pas davantage. Isa sourit, très belle.

— Mandoline, j'ai un secret à te confier.

Isa se lève et me chuchote à l'oreille :

— Cette maison n'est pas...

Le sachet me glisse de la main et tombe sur le plancher. Le bruit me fait sursauter. Je me penche pour ramasser la poudre. Quand je me relève, Isa a disparu. Je n'ai pas entendu tout ce qu'elle a murmuré. Il était question de maison. Après, je ne sais pas.

Debout devant la coiffeuse, le sachet de poudre dans une main, je n'ouvre pas les yeux : ils étaient déjà ouverts puisque je ne dormais pas. Mais qu'est-ce qui s'est passé avec Isa ? J'ai dû somnoler, debout et pas longtemps, et rêver.

La nuit a fini par passer. Sans que je sache si j'ai envie de continuer ou d'arrêter de me soûler et de me geler la gueule. Qui a gagné, Lilas ou Petite Douceur ? Match nul.

Dehors, des oiseaux jacassent à tue-tête, il est 7 heures 42 et je capote !

Deuxième Partie

L'Empreinte de la corneille

« Dans le temps de ma grande jeunesse,
il m'est arrivé d'espérer
que je deviendrais " quelqu'un ".
Si j'avais eu le courage de formuler
mon espoir tout entier,
j'aurais dit " quelqu'un d'autre ". »
Colette, *Mes apprentissages*

« Comme dans toute question
de métaphysique,
les deux sont probablement vrais :
la vie est sens et non-sens,
ou elle possède sens et non-sens.
J'ai l'espoir anxieux que le sens
l'emportera et gagnera la bataille. »
Carl Gustav Jung, *Ma vie*

Cinquante

J e t'avais dit : « Parce que ça sent toi et que tu sens bon. »
Je me réveille en travers du lit, chiffonnée comme ton tee-shirt que je tiens serré contre moi. Comme mon toutou quand j'étais petite.

Neuf heures neuf. Au bout d'une interminable nuit blanche, j'ai finalement sombré dans le sommeil. Mais pourquoi on dit « nuit blanche » ? C'est si noir, toute une nuit sans dormir.

J'ai dormi à peine une heure et demie : le temps d'un rêve intense. Ma chambre était envahie par le brouillard. Avec étonnement, je découvrais un grand coffre au pied de mon lit mais je n'osais pas l'ouvrir. J'avais trop peur de ce qu'il pouvait contenir. Troublée par cette découverte, je m'assoyais sur mon lit. Je portais un anneau noir en plastique à l'annulaire de ma main gauche, mais il me faisait mal. Je l'ai retiré et il a commencé à se défaire. Je paniquais à l'idée qu'il soit brisé. Mais... l'anneau devenait un fil d'or. J'étais fascinée mais je ne savais pas du tout quoi faire de ce fil. Quelqu'un m'a alors tendu une aiguille. Je n'ai pas vu qui c'était, mais le brouillard s'est aussitôt dissipé. J'ai passé le fil d'or dans le chas de l'aiguille. Je me suis levée et j'ai ouvert le coffre. Il était rempli de tissus pêle-mêle.

À la fin du rêve, tout s'éclaircissait, dans la chambre et dans ma tête. Je savais exactement ce que je devais faire. Dans la réalité, c'est une autre paire de manches.

À propos de paire de manches, je l'ai porté, moi aussi, ce tee-shirt. Il sent nous deux, maintenant.

Tu te rappelles, Nicolas, c'était une belle nuit, mais je suis partie. C'est comme ça. Je n'en ai rien à cirer des bons gars, alors je fous le camp ! Comme cette nuit-là, quand tu étais tendre et doux et gentil avec moi. Tu vois, si tu avais été un salaud, je serais peut-être restée. Je suis tordue, tu ne trouves pas ?

Ou bien je suis partie avant que tu me fasses mal, toi aussi. Va savoir...

Tout ce dont je suis sûre, c'est que j'étais au bord du bonheur, il y a eu un grand big bang et tout a déboulé.

Tu ne le sais pas, Nicolas, mais il y a un corbeau dans mes cauchemars pour me rappeler que le désespoir, toujours fidèle au rendez-vous, bouffe l'espérance par les deux bouts. Cette nuit-là, chez toi, l'oiseau de malheur me l'a rappelé. Puis il m'a poursuivie dans la réalité. Il s'est frappé pour de vrai, à la fenêtre de ma chambre. Ensuite... j'ai eu peur, j'ai eu soif et j'ai bu.

Ce matin, ta douceur et ton odeur me manquent, Nicolas. J'enfouis ma tête dans ton tee-shirt froissé, le sens, le sniffe. Je le boufferais si je ne me retenais pas !

Qu'est-ce que je nous ai fait, Nicolas ? Mes souvenirs de nous deux me donnent envie de hurler. Je m'arrache à ton parfum, ravale mon cri (de rage ? de tristesse ? un mélange des deux ?) et cache le tee-shirt sous mon oreiller.

Je n'ai plus de whisky, mais il y a de la poudre dans le tiroir de la coiffeuse. Au cas où...

Il est 9 heures 13 et j'ai faim.

Qu'est-ce qui s'est passé, hier soir, avec Jennifer ? Qu'est-ce qui s'est passé à l'aube avec Isa ?

Cinquante et un

Sur la table de la salle à manger, une orange aussi grosse qu'un pamplemousse trône au milieu d'une assiette fleurie. On dirait un soleil énorme dans un tout petit jardin. Et sous le soleil : *Merci d'avoir répondu à l'appel de cette jeune fille en détresse. Bonne journée. Claire.*

Claire-au-grand-cœur. Qui nous a tendu la main, hier soir, à cette fille et à moi. Qui est venue m'embrasser, ce matin, avant d'aller travailler. Mais je faisais semblant de dormir...

Entre le panier de fruits et le sucrier, deux grandes enveloppes. Elles me sont adressées. L'une d'elles traîne sur la table depuis quelque temps, mais je ne l'ai pas encore ouverte. Machinalement, je la décachette. Mon bulletin : j'ai réussi ma quatrième secondaire haut la main. Surtout en maths. Je ne suis ni contente ni déçue ni rien de rien.

En saisissant l'autre enveloppe, ma main tremblote. Je me doute de ce qu'elle contient. Je la dépose, m'oblige à manger l'orange. Du moins, la moitié. Au moins deux quartiers.

Je m'empare à nouveau de l'enveloppe. Je ne me suis pas trompée : c'est un exemplaire du magazine *Savoir et Être*. Et une note écrite à la main sur un *post it* jaune : *Cordialement, Nicolas Chevalier.*

Cordialement. Comme il est froid, ce mot. Il me glace le cœur.

Nerveuse et énervée (c'est quoi la différence, au juste?), je cherche dans le sommaire le dossier sur les raccrocheurs signé

Nicolas Chevalier. À la page 58, je trouve *UN TANGO NOMMÉ FLORA*.

Ce titre me vire à l'envers. Nicolas m'avait dit : « Je rêve de danser le tango avec toi... Dans ma famille, le tango, c'est sacré. Avant, ça ne l'était pas pour moi. Mais maintenant... »

Je ressens un curieux malaise à l'idée de lire ce que le journaliste a écrit à propos de Flora. Ce que Nicolas a écrit à propos de moi. Mes mains deviennent moites, si moites qu'elles collent au papier glacé du magazine. Et les battements de mon cœur s'accélèrent. C'est donc bien bizarre : j'ai beau être seule, je suis gênée de lire.

UN TANGO NOMMÉ FLORA
Par Nicolas Chevalier

Pour Enrique Discépolo, un auteur argentin, le tango est « un mélange de rage, de douleur, de foi, d'absence, pleurant sur un rythme enjoué ». En apercevant Flora (prénom fictif), je pense tout de suite à ces mots de Discépolo.

La jeune femme arrive au café où nous avons rendez-vous, vêtue d'un jean noir et d'un chemisier tango, ni tout à fait orange ni tout à fait rouge. Son sourire illumine un bien joli visage que des cheveux presque noirs et coupés très court mettent en valeur. Son regard, profond et noir, pétille et désarme.

Flora a du chien et un charme fou. D'entrée de jeu, je lui demande pourquoi elle avait abandonné l'école. Du tac au tac, elle me répond : « Je jouais de mon corps comme d'un instrument de musique, un air connu, toujours le même. » Et vlan ! Le ton est donné.

À quinze ans, l'adolescente se consacrait, comme elle dit, à son projet d'autodestruction. Elle dansait nue, ivre de whisky et gelée comme une balle. Elle précise, comme si elle récitait un poème de Nelligan : « Ivre et gelée, perdue, givrée. »

Elle me fait part ensuite du paradoxe qui la caractérisait : « Se détester assez pour se détruire mais pas suffisamment pour en finir. »

Puis un matin, elle a volé un ourson en peluche. En commettant cet acte, Flora, la petite fille bafouée, ne se doutait pas qu'elle permettrait à la police de démanteler le réseau de prostitution juvénile auquel Flora, la prêtresse du désir, appartenait. Elle ne se doutait pas non plus que ce toutou la conduirait en cure de désintoxication, puis chez les Alcooliques anonymes, et la ramènerait sur les bancs d'école. «Il ne faut pas sous-estimer le pouvoir des oursons en peluche!» me confie avec humour Flora, l'étudiante à l'Éducation aux adultes.

Depuis qu'elle a suivi une cure de désintoxication, il y a un an et demi, Flora n'a pas touché à l'alcool ni à la drogue. À vingt ans, elle est décidée à obtenir son diplôme d'études secondaires, et elle en est très fière : «Pour moi, c'est tout un exploit parce que c'est la première fois de ma vie que je m'acharne à me faire du bien», s'exclame-t-elle.

Si la jeune femme ignore pour l'instant ce qu'elle souhaite exercer plus tard comme métier, elle sait ce qu'elle ne veut plus.

C'est à suivre.

Ce portrait, je l'avais d'abord intitulé : Flora, une séductrice et une battante. *Puis je me suis souvenu des paroles de Discépolo.*

Voilà, j'ai rencontré Un tango nommé Flora.

C'est un bien joli portrait, mais le journaliste a menti. Depuis cette entrevue, Flora alias Lilas, jadis la Petite Douceur à son papa, a bu et beaucoup.

J'ai bu tout l'été. J'ai bu comme un trou. Comme au temps de ma vie avec Gerry et les filles, fleurs du mal dans le jardin de Gerry. Moi, Lilas, et Marguerite, Pétunia, Rosie-Rosa, Marie-Lys, Jasmina... et Coquelicot : mineures aux prénoms de fleurs pour nous distinguer des filles majeures. La mère de Gerry, une fleuriste passionnée, n'aimait pas son fils. C'est drôle, non?

Coquelicot voulait «s'en sortir» et Gerry me disait :

— Elle a une mauvaise influence sur toi. Tiens-toi loin d'elle!

J'ai fait comme Gerry m'a dit et Coquelicot est partie. Mais pourquoi je pense à elle ? Ça me donne soif, ostifi ! Et je n'ai pas pris une goutte d'alcool depuis hier soir, ni consommé la poudre achetée avec de l'argent volé à Claire.

C'est grâce à Jennifer si je n'ai pas bu depuis hier. Si cette fille ne m'avait pas téléphoné, et si nous ne l'avions pas conduite au centre de désintox, Claire et moi...

Il y a quelques mois, convaincue de m'en être sortie, j'avais tendu la main à cette petite paumée. Elle m'avait envoyée promener. Hier soir, j'étais sur le point de retoucher à la poudre magique parce que le whisky ne me suffisait plus, et cette fille m'a appelée à l'aide. Je me suis fait piéger par celle que j'avais voulu aider. Parfois, cette chienne de vie a vraiment le sens de l'humour !

Ostifi ! Dehors, un gros corbeau s'époumone. Ses cris me glacent le sang. Je lui lance par la fenêtre :

— T'es pas supposé être mort, toi ?

Comme c'est sombre et brumeux dans la cour. Rien n'empêche que je la vois, cette sale bête noire. Perchée sur le fil électrique, elle me dévisage. On dirait même qu'elle me défie.

Je crie :

— Sacre ton camp, oiseau de malheur !

J' t'haïs !

Le corbeau s'envole. Mon esprit s'emballe. Il n'y a plus de whisky... reste la poudre.

Cinquante-deux

J' ai soif.

« Pige une pensée », me suggère une voix dans ma tête.

Des pensées, ça fait belle lurette que Claire n'en sème plus sur ma route. Ma déroute, plutôt !

J'entre dans la chambre de mon ex-marraine A.A. et me dirige vers sa commode. « Vite, pige ! » me répète la voix avec insistance. Je me dépêche. Avant de changer d'idée. Parce que j'ai soif.

J'ouvre le coffre à bijoux-de-mots de Claire. Je pige : *Pour que le soleil entre par la fenêtre, il faut tirer les rideaux. Proverbe américain.*

Où ça, le soleil ? Il fait presque noir comme chez le loup.

Avant, les petites phrases de Claire avaient le pouvoir de me réconforter. Je relis la citation : *Pour que le soleil entre par la fenêtre, il faut tirer les rideaux.*

J'aperçois mon reflet dans le miroir : une fille poquée, fripée, cernée, avec un bout de papier dans une main.

J'ai soif, soif, soif, ostifi !

Cinquante-trois

*P*our que le soleil entre par la fenêtre, il faut tirer les rideaux. Je ne me rappelle même pas avoir quitté la chambre de Claire pour me diriger vers la mienne. Je suis pourtant en train d'ouvrir mon store. Il est resté fermé depuis le début de ma dégringolade.

C'est-pas-vrai-Ça-se-peut-pas! Sur la vitre... une em... empreinte d'oiseau. Si l'une des ailes n'est qu'une esquisse de poussière, l'autre est particulièrement bien dessinée.

L'empreinte de l'oiseau qui s'était écrasé dans ma fenêtre? Maudit corbeau de malheur, vas-tu me lâcher?

S'il faut tirer les rideaux pour que le soleil entre par la fenêtre, il faut aussi laver les vitres.

Je cours comme une vraie folle chercher un seau d'eau savonneuse et un torchon.

Vite, Mandoline!

Cinquante-quatre

J e m'apprête à effacer la trace de l'oiseau de malheur. J'échappe le torchon derrière le calorifère. J'échappe aussi un « Ostifi » bien senti. De rage.

Ma main, à la recherche de la guenille mouillée, touche du papier : un magazine aux pages gondolées.

Mes jambes deviennent molles et ma bouche, pâteuse. Une force maléfique s'acharne à me garder dans un cauchemar éveillé. Sur la page de gauche de la revue, pas un, mais deux ostifi d'oiseaux noirs me regardent.

Je referme et je lance par terre cette maudite revue qui me brûle les doigts. Mais je passe d'un choc à un autre : *Et si le destin nous faisait signe par hasard ?* lance le titre pour me narguer, en page couverture. Je m'assois sur le plancher. Non, je m'écroule, complètement chamboulée. Ce magazine, je l'avais acheté par erreur il y a quelques mois. Il était tombé dans une flaque d'eau, je n'avais donc pas pu l'échanger. J'étais furieuse. C'est à cause de cette erreur que j'ai revu Bob Leroux. En retournant au dépanneur acheter la revue que je voulais, j'étais tombée nez à nez avec lui. Robert-Pierre Leroux, le monsieur si généreux qui utilisait ma mère comme paravent, pour jouer en cachette avec moi, à des jeux de grands.

Il y avait une petite fille au regard éteint dans l'auto du salaud, ce matin-là.

Je n'en reviens pas ! Cette revue, c'est... *Savoir et Être*.

Pas croyable! Ce magazine m'est passé entre les mains juste avant que Nicolas me contacte pour son dossier sur les raccrocheurs.

Sans réfléchir, je pars à la recherche des deux oiseaux noirs.

Je les retrouve dans une toute petite *CAPSULE ORNITHOLO-GIQUE* :

SAVIEZ-VOUS QUE...

La corneille n'est pas la femelle du corbeau? Oui, ces deux oiseaux se ressemblent étrangement et appartiennent à la même famille, **LES CORVIDÉS.** *Mais si vous croisez souvent en ville la corneille, plus petite que le corbeau, ne cherchez pas son grand cousin : il vit en forêt ou dans les marais, loin de l'être humain.*

Devinette : Si le **CORBEAU CROASSE,** *que fait la* **CORNEILLE?** *Elle* **GRAILLE.**

J'ai la chair de poule. De poule et de tous les oiseaux du monde!

Si cette scène avait lieu dans un film, les spectateurs et les critiques trouveraient que l'histoire est tirée par les cheveux. Moi la première. Sauf que cette scène ne se passe pas dans un film mais dans ma vraie de vraie vie.

Je fixe à présent le type qui fait la une : Félix Vadeboncœur, psychologue et auteur de *Et si le destin nous faisait signe par hasard?*, un essai sur la synchronicité. Je vérifie dans le sommaire. Bien entendu, c'est Nicolas qui l'a interviewé.

Qu'est-ce que la synchronicité? C'est ce que Nicolas demande au psy. Félix Vadeboncœur répond : ... *un rendez-vous avec soi...*

J'ai beaucoup de mal à me concentrer.

... *coïncidence chargée de sens.*

Les lettres noires dansent sous mes yeux et le sens des mots m'échappe.

... *coïncidence chargée...*

J'essaie de me calmer. J'essaie aussi de comprendre ce que je lis.

Ostifi, c'est quoi la synchronicité?

C'est un rendez-vous avec soi-même qui prend la forme d'une coïncidence chargée de sens.

Je n'ai pas écrit ce livre par hasard, vous savez. Il y a plusieurs années, j'étais inscrit en psychologie, à l'université, mais je n'étais pas du tout convaincu de la pertinence de mon choix. J'avais tout de même décidé de me présenter au premier cours de la session. Ce matin-là, juste avant de partir pour l'université, j'ai appris que ma tante Marie-Paule venait d'être hospitalisée. En classe, nous avons fait un exercice d'imagerie mentale ; cela ressemble à un rêve éveillé. Les images qui se sont présentées à moi sont celles-ci : Une femme est couchée sur un lit et un personnage constitué de feuilles de chêne apparaît à une fenêtre. Ce bonhomme-feuilles entre, cueille l'âme de la femme et s'en retourne par la fenêtre.

Après le cours, je suis allé à l'hôpital. Marie-Paule dormait. Ma tante Louise, qui était à son chevet, m'a dit qu'il avait fallu garder le store fermé. Marie-Paule était terrifiée par une feuille de chêne qu'elle voyait à la fenêtre. Il n'y avait pas de feuille, a précisé Louise. Boule-versé, je lui ai raconté ce que j'avais vécu lors de la séance d'imagerie. Quelques jours plus tard, Marie-Paule est morte. Louise et moi, nous lui tenions la main.

Pour l'étudiant indécis que j'étais, cette coïncidence étrange a eu un impact émotionnel très puissant. Ces deux événements, la feuille que ma tante voyait à sa fenêtre, à l'hôpital, et le bonhomme-feuilles que je visualisais au même moment, dans une salle de cours à l'université, ne sont pas liés par une cause. Ils le sont par le sens qui a émergé de la coïncidence. Cette synchronicité m'a permis de confirmer mon choix. J'ai saisi ce rendez-vous ; non seulement je n'ai pas abandonné mes études, mais j'ai fait ma thèse de doctorat sur la théorie de la synchronicité, première mouture de ce qui est devenu le livre Et si le destin nous faisait signe par hasard ?

La synchronicité, c'est un langage symbolique. Mais attention aux interprétations hâtives, ajoute monsieur Vadeboncœur.

Je suis sous le choc. Quand j'avais vu la page couverture de cette revue, au printemps, j'avais pensé que la synchronicité était une maladie bizarre ! Peu de temps après, pourtant, Nicolas me parlait de ce phénomène des coïncidences étranges, mais je n'ai pas fait le lien.

Tous les signes étaient là. À commencer par cette erreur de magazine qui m'annonçait ma rencontre avec Nicolas. Mais je n'ai rien vu. Je n'ai même pas essayé de voir plus loin que le bout de mon nez. Que la queue et les mains de Bob Leroux, en fait.

Et si l'oiseau de mes cauchemars était un messager de bonne nouvelle?

Je lève les yeux sur le dessin de poussière à ma fenêtre, complètement fascinée. Pour l'instant, je ne comprends pas tout ce qui se passe. Mais ces étranges coïncidences me donnent envie de croire à un sens. M'encouragent à croire que je suis quelqu'un qui va quelque part.

Je n'efface pas l'empreinte de la corneille.

Cinquante-cinq

Nicolas.

Juste avant de savoir que j'existais, juste avant de savoir que nous aurions rendez-vous, tu avais rêvé à une mandoline, l'instrument de musique. Moi, je t'ai balancé, en entrevue : « Je jouais de mon corps comme d'un instrument de musique, un air connu, toujours le même. »

Maintenant, il faut absolument que tu saches ce qui s'est passé : cette revue achetée par erreur et oubliée, mes cauchemars de corbeau, la corneille qui s'est frappée à ma fenêtre, son empreinte... Non, je ne comprends pas tout, Nicolas. Je ne sais pas si c'est l'espoir qui se réveille. Des soupçons, peut-être. Comme des lueurs, à l'aube. Même si on n'y voit presque rien, il faut s'accrocher à ces lueurs qui nous annoncent le matin.

« Accroche-toi, Mandoline », me dit une petite voix, et j'ai envie de l'écouter.

Je m'empare du téléphone. C'est quoi, son numéro ? C'est pas vrai ! J'ai oublié le numéro de Nicolas. Je cherche dans mon fouillis la carte qu'il m'avait donnée avec ses coordonnées. Je ne la trouve pas.

Ça n'a pas de bon sens !

Tout à coup, je me souviens d'avoir enregistré son courriel dans mon carnet d'adresses électroniques. Juste après m'être sauvée de chez lui. Juste avant que la corneille se heurte à ma fenêtre.

Je cours jusqu'au bureau me brancher sur Internet.

Quatre courriels de Nicolas m'attendaient dans ma boîte : le plus récent, en haut de la liste. Je choisis de les lire dans l'ordre chronologique.

Mon cœur se met à battre vite et fort. Badaboum, qu'il fait, pour être plus juste !

Cinquante-six

24 juin, 2 heures 47 Mandoline wrote : Merci pour la belle soirée. Ne t'inquiète pas pour ma fugue. Je t'expliquerai.

24 juin, 3 heures 21

Ma belle,

Où es-tu ? Pourquoi t'es-tu enfuie en pleine nuit ? Je prenais trop de place dans le lit ? Je t'écris le rêve que je viens de faire et qui me laisse perplexe :

C'est Noël. (Physiquement, je suis un adulte mais intérieurement, je suis un petit garçon.) Il y a un cadeau pour moi sous le sapin illuminé. J'ai très hâte de le déballer. Je retire le papier d'emballage. C'est un instrument de musique. Lequel, tu penses ? Une mandoline, évidemment. Je suis très content, j'essaie d'en jouer, mais je n'y arrive pas et je me fâche. Ma mère me prend l'instrument des mains et commence à jouer une très jolie mélodie. Je trouve ça magnifique, mais je suis jaloux que ce soit elle qui joue.

Ce rêve n'a rien de terrifiant, mais je me suis réveillé complètement bouleversé.

Voilà : je pense à toi, j'ai envie de toi et je m'inquiète de ta disparition.

Nicolas

P.-S. : Il y a des gens qui nous allument, d'autres qui nous éclairent, toi, tu m'irradies.

Je l'irradie. Je sais à peu près, mais pas tout à fait, ce que ça signifie. Il faudra que je vérifie. En tout cas, ça sonne beau.

~

24 juin, 22 heures 12
   Mandoline,
   Je me doute que ça te fait peur, nous deux. Moi aussi, j'ai peur. Mais ça ne m'empêche pas d'avoir envie d'essayer de monter avec toi dans quelque chose de très doux. J'ai dit « monter », pas « tomber ».
   Je t'embrasse,
   Nicolas

~

26 juin, 11 heures 21
   Pourquoi ce long silence? Est-ce que je t'ai fait mal sans m'en apercevoir? Donne-moi des nouvelles, s'il te plaît.
   Nicolas
   C'est justement ce que je désire le plus au monde, Nicolas, te donner de mes nouvelles.
   J'ouvre le dernier message.

~

1er juillet, 7 heures 43
   Merde!

   Après ce « merde », plus rien.
   Je clique sur *créer un message* :
   Nicolas, la nuit où je me suis sauvée, je t'avais écrit : je t'expliquerai...
   Je n'enverrai pas ce message. Je le supprime et quitte Internet.

Cinquante-sept

C'est peut-être cuicul, mais je ressens une envie folle de porter les mêmes vêtements que lors de mon premier rendez-vous avec Nicolas : mon jean noir et le chemisier orange que Claire m'avait offert pour l'occasion. Oh, pardon : il est tango, ce chemisier, pas orange !

Ça fait si longtemps que je n'ai pas plané aussi haut... et à jeun. On dirait que des ailes m'ont poussé dans le dos.

Habillée comme la fille du portrait «Un tango nommé Flora», il ne me reste qu'à mettre une chaussure. Mais je ne la trouve pas.

Je fouille ma chambre de A à Z. Rien. Je commence à m'impatienter. À quatre pattes, je me penche et regarde sous le lit.

Qu'est-ce que c'est ? Un grand paquet emballé avec une petite enveloppe... cachait ma chaussure.

La carte me souhaite :

Joyeux anniversaire, Mandoline.

Je t'aime,

Claire

Claire, je l'avais rayée de mon cœur, elle aussi, mais elle a continué de penser à moi.

Je regarde la date sur ma montre. J'ai eu vingt et un ans le vingt et un juillet. Il y a presque un mois déjà. Mon anniversaire est passé sans que je m'en aperçoive. Ou à peine.

Je m'assois sur mon lit et je déballe, en retard, ce paquet : le pantalon assorti à mon chemiser tango. Sacrée Claire ! Je suis folle-contente de ce cadeau. Mais quelle idée de l'avoir planqué sous le lit!

Je me dépêche d'enfiler le pantalon puis je jette un coup d'œil au miroir. Non, je prends le temps de me regarder. Je suis presque belle à croquer, ma foi! Mais mes cheveux ont donc bien allongé, ostifi! Est-ce que je devrais les faire couper ou les laisser pousser? Pas besoin de prendre de décision tout de suite. Mais il faut que je trouve le moyen de les placer pour que ce soit joli.

J'ouvre le tiroir de ma coiffeuse. Pas d'épingles à cheveux. Mais de la poudre. Je prends le sachet dans l'intention de m'en débarrasser sur-le-champ puis le laisse tomber. Je le ferai en revenant. J'ai trop hâte de voir Nicolas.

Excitée, mêlée, nerveuse et joyeuse (méchant cocktail d'émotions), je quitte ma chambre en... volant. J'ai des ailes, non?

Cinquante-huit

La main sur la poignée de porte, je m'apprête à sortir de la maison. Un petit détail me chicote :

Il y a des gens qui nous allument, d'autres qui nous éclairent, toi, tu m'irradies.

C'est quand même bête de ne pas savoir exactement l'effet qu'on fait à un gars.

Je rebrousse chemin et me dirige à grands pas vers le bureau. Je cherche le verbe *irradier* dans le dictionnaire : *Se propager en rayonnant à partir d'un centre* (C'est moi, le centre ?), *par irradiation. V. Diffuser (se), rayonner. La lumière irradie d'une source.* Je suis cette source ?

Je ne prends pas de chance, je cherche *rayonner* : *Répandre de la lumière, des rayons lumineux.*

Donc, moi, Mandoline, je suis une source qui répand de la lumière dans la vie d'un gars brillant et beau-comme-un-cœur qui s'appelle Nicolas ?

Cher Nicolas, tu m'aurais écrit : « Tu me fais de l'effet en ostifi ! », j'aurais tout de suite compris !

Cinquante-neuf

Tout de tango vêtue, je sors enfin de la maison. La visibilité est presque nulle. Oups, j'ai les deux pieds sur le journal de quartier. Mais qui l'a mis sur le perron ? Un nouveau livreur, sans doute. À cause du brouillard, il n'a pas trouvé la boîte aux lettres.

En ramassant le journal, je reconnais la maison croche en page couverture. Elle sera démolie. À cet endroit, on fera pousser des condos de luxe. Un grand frisson glacé me parcourt.

« Cette maison me ressemble : toute croche, hantée, sur le point de tomber. » C'est ce que j'avais pensé, en courant comme une folle, le matin où j'ai recommencé à boire.

La synchronicité, c'est un langage symbolique. Je ne me sens pas bien. À cause du lien entre cette baraque et moi. Il est si fragile, mon espoir tout neuf. S'il te plaît, le vent, ne souffle pas trop fort dessus.

Attention aux interprétations hâtives. La mise en garde m'apaise.

J'entrouvre la porte, lance le journal à l'intérieur et pars, presque confiante. Direction : chez Nicolas.

Le brouillard court dans la rue. On dirait qu'il est pressé. C'est drôle : les arbres ont l'air de vouloir l'attraper avec leurs grosses pattes feuillues. Peut-être que le brouillard se sauve pour leur échapper. Ces géants échevelés n'ont pourtant pas l'air bien méchants. Est-ce que la nature me parle ? Si oui, de quoi ? Peu importe où mon regard se pose, il n'y a pas de répit pour mon esprit. Mais si je ferme les yeux, c'est pire.

Je me dis : « Mets toutes les chances de ton bord. »

Obliger mon esprit à se focaliser
sur les signes positifs et en dresser la liste :

- Le corbeau n'était pas un corbeau mais une corneille.
- L'empreinte de la corneille, ce n'est pas la chute du corbeau.
- Le magazine acheté par erreur annonçait ma rencontre avec Nicolas.
- Le rêve d'une mandoline que Nicolas a fait était prémonitoire.

La liste produit son effet. Le visage de Nicolas apparaît en gros plan dans ma tête. Je repère mon filon d'espoir. Je ne me gêne pas pour l'exploiter.

À mon réveil, une corneille m'a rappelé que les appels ne sont pas tous entendus du premier coup. Des malentendus peuvent donner lieu à des petits jeux tordus qui faussent les données...

Je me sens d'attaque pour affronter le brouillard et j'accélère le pas.

Soixante

Je m'approche de l'immeuble où habite Nicolas. Au pied de l'escalier, la peur menace de me barrer la route. Je dois faire de gros efforts pour rester calme. «Mon Dieu...» Non, pas mon dieu. Ce dieu que je priais, avant, est un père Noël sadique qui donne des cadeaux pour les reprendre aussitôt! Qui je prie, d'abord? «En tout cas, peu importe comment tu t'appelles, si tu existes, niaise-moi pas! La sonnette est défectueuse, alors donne-moi le courage de frapper trois petits coups sur cette ostifi de porte!»

Un.

Deux.

Trois.

J'entends ses pas. Je suis sur le gros nerf! C'est donc bien long, une seconde d'impatience joyeuse!

La poignée tourne. La porte s'ouvre. Nicolas apparaît dans le cadre de porte, en robe de chambre. J'ai envie de lui sauter au cou, mais... Il n'a pas l'air content ni mécontent de me voir, ni rien de rien. Je n'arrive pas à soutenir son regard.

— Nicolas, je...

La porte de la salle de bains s'ouvre en arrière-plan. Une fille absolument sublime surgit dans le salon. Une grande gazelle chiante d'assurance. Je me sens devenir toute molle, toute moche, toute morcelée en dedans. C'est mon rêve qui se brise. Je l'entends se fracasser tandis que Nicolas me balance :

— Écoute, ce n'est pas le bon moment pour...

Je m'en suis aperçue, imagine-toi donc! Je me retrouve peut-être au trente-sixième sous-sol, mais je ne suis pas cave.

Nicolas ne mentionne pas que la gazelle sautillante s'appelle Léa. Mais je suis sûre que c'est elle, même si je ne l'ai jamais vue avant aujourd'hui.

— Je m'excuse de t'avoir dérangé. Je... J'aurais dû appeler avant... Je voulais mais... J'ai reçu... J'ai lu le portrait... C'est beau. Bon, salut.

Bouts de phrases garrochés, marmonnés.

Je tourne les talons en ravalant d'autres moitiés de phrases et je dévale les marches de l'escalier le cœur en miettes. Non, en poussière tellement les morceaux sont petits.

Une fois en bas, je m'appuie sur la rampe d'escalier. Je m'accroche à elle.

Léa a repris son règne. Je m'assois sur une marche. Léa sortait de la salle de bains. Elle venait de prendre une douche, après une longue nuit passionnée avec Nicolas. Nicolas retombé dans les filets de la vache folle. Après tout, il l'a dans la peau. Tellement dans la peau qu'il s'est fait tatouer son surnom sur la poitrine.

Moi, je suis passée dans sa vie en attendant le retour de celle qui le tient par les couilles.

Il y a des gens qui nous allument, d'autres qui nous éclairent, toi, tu m'irradies. Comme j'ai été naïve! Et bête! Et conne! M'imaginer que je faisais le poids à côté de ce pétard qui... l'enflamme. Nicolas-qui-flambe-comme-une-torche.

Au temps de ma vie avec Gerry, j'étais un os dans la gueule de la jalousie : grugée, grugée jusqu'à la moelle. J'étais jalouse, c'est vrai, mais pas parano. Il me trompait à tour de bras, mon beau Gerry qui n'était même pas beau. Et quand ses potions ne me suffisaient plus, j'avais droit à sa formule magique :

— Les filles, je les aime toutes beaucoup, mais toi, je t'aime tout court.

Je faisais semblant de le croire pour faire semblant d'être heureuse. J'étais devenue la championne du faire-semblant. Mais là, je ne peux plus.

Tout à l'heure, des ailes m'avaient poussé dans le dos et je volais très haut dans un rêve si beau. Maintenant, ce sont des mains qui me poussent dans le dos. Et elles me poussent jusqu'au bord d'un précipice.

Je ne comprends plus rien. Je ne comprends rien à rien de rien du tout. Qu'est-ce qu'elle me veut, la vie ? Pourquoi elle m'a fait planer dans ce rêve magnifique si c'était pour le faire *crasher* aussitôt dans la réalité ? Pourquoi elle m'a fait sentir ce parfum d'espérance si tout ce qu'elle a à m'offrir, c'est un tas de merde ? À quoi ça sert de rester sobre si c'est juste pour manger de la merde ? Pour bien la sentir avant de la manger ? *No way!*

Est-ce qu'il y a une loterie de l'existence qui fait qu'on tombe sur un numéro chanceux ou non ? *Meilleure chance dans la prochaine vie!*

Je quitte l'immeuble en laissant derrière moi les éclats du rêve. L'amour, ce n'est pas pour moi. Si j'en doutais, ce n'est plus le cas.

J'ai soif, ostifi! J'ai mal, aussi! C'est facile de dire : «Arrête de te démolir! Arrête de boire! Arrête de te geler!» Mais la lucidité me fait mal! Il faut que cette douleur se taise! Cette maudite souffrance, c'est une bibite qui a toujours faim de moi. Elle me bouffe la vie par en dedans et par dehors! De tous bords, tous côtés. Et moi, je m'engourdis pour ne pas sentir ses morsures! Je m'anesthésie, comme on fait à l'hôpital, avant d'opérer. Est-ce qu'il y a quelqu'un qui peut comprendre ça, ostifi de chienne de vie de merde à n'en plus finir ?

— Toi, que je n'appellerai plus jamais Dieu, qu'est-ce que tu me veux ? Réponds!

Soixante et un

Je n'ai même pas besoin de regarder dans la vitrine. Je sais que la salope m'invite à entrer.

~

Pas de témoin en vue. Je dérobe une bouteille de whisky. Ostifi, je n'ai même pas pris de sac! Que mon trousseau de clefs dans la poche de mon pantalon. Comment je vais faire pour dissimuler la bouteille? Tant pis, je reviendrai au besoin!

Je remets la bouteille sur la tablette et me contente d'un flacon. Pour le moment. Une chance que ce chemisier est ample. Merci, Claire! Je fous le flacon dans la poche de mon pantalon et je m'assure que mon chemisier camouffle bien la bosse.

Soixante-deux

J'ai besoin d'un peu de chaleur dans la gorge. Même si ça ne descend pas jusqu'au cœur. Pourquoi la mer de béton me ramène toujours sur cette île verte?

Ostifi que j'ai soif! Je m'apprête à dévisser le bouchon du flacon.

— Je suis revenu chaque jour depuis que je t'ai vue ici.

Cette voix, je la connais. Je lève les yeux. Le clochard me regarde. J'ai très, très peur.

— Je peux te déranger une minute?

Je fais signe que oui. Mais je tremble. Le flacon me glisse des mains.

— Si tu me promets de ne pas me poser de questions, je voudrais t'offrir quelque chose.

Mon cœur s'énerve, comme si j'avais couru le marathon.

— Je vous le promets.

— Jure-le.

Je le jure. L'homme s'assoit à côté de moi.

— C'est juste une phrase. C'est juste ça que je peux te donner, Mandoline.

Il sait comment je m'appelle.

— Y avait ton prénom gravé sur le porte-clefs, ajoute-t-il.

Il m'avait demandé un peu de monnaie. Mon porte-clefs était tombé. Il y avait lu mon prénom. C'est pour ça qu'il était parti avant que je lui donne l'argent.

— Juste une phrase, OK? Ensuite je m'en vais.

— OK.

L'homme penche sa tête vers moi, me chuchote dans l'oreille, pour que les mots ne tombent pas par terre, on dirait :

— Prends soin de toi, Petite Douceur.

Juste une phrase, mais il me la répète en pleurant avant de se lever. J'interdis à ma main de s'agripper au bras de l'homme. J'aurais mille questions à lui poser mais je ne le fais pas. J'ai juré.

Il s'en va sans se retourner. Je ferme les yeux. Pour ne pas le voir partir encore une fois. Je prends une grande respiration. Je suis au bord des larmes. Je viens souvent au bord des larmes mais je ne plonge pas dedans. Plus jamais. Je suis devenue une championne dans la catégorie ravaleuse de larmes.

Il est revenu, le temps d'une phrase, et il est reparti.

Quand j'étais petite, j'avais dit :

— Papa, j'ai un ami dans mon cœur.

— Comment il s'appelle ?

— Je ne sais pas. Il ne répond pas quand on joue au téléphone.

Une fois, j'ai pigé dans le coffre à bijoux-de-mots de Claire : « *Rentre en toi-même, frappe à ton cœur et demande-lui ce qu'il sait. Shakespeare* »

Je ne voulais pas rentrer en moi-même. Je ne voulais pas frapper à mon cœur. Je ne voulais pas entendre ce qu'il savait.

— *Prends soin de toi, Petite Douceur.*

— *Pourquoi tu dis ça, papa ?*

— *Parce que je t'aime. Tiens, je t'ai apporté un nouvel ami.*

— *Mais, papa, pourquoi tu me donnes un toutou ? C'est pas ma fête.*

— *Je sais, mais ça ne fait rien. Bonne nuit, ma belle petite douceur d'amour.*

— *Papa, veux-tu me chanter* Frère Jacques *pour m'aider à m'endormir ?*

C'est pas que je l'aime, cette chanson-là, mais c'est la seule que tu connais avec Au clair de la lune *et je suis vraiment tannée d'*Au clair de la lune.

Frère Jacques
Frère Jacques
Dormez-vous?

— *Tu pleures, papa?*
— *Ben non, ben non.*
— *Juste un petit peu mais quand même...*
— *Fais un beau dodo, Mandoline.*
— *Bonne nuit, papa d'amour. Papa?*
— *Quoi, Mandoline?*
— *Je t'aime gros comme le ciel.*
Tu reviens me faire le plus gros des câlins avec tout plein de tendresse dedans.
  — *Petite Douceur, moi, je t'aime gros comme l'Univers et toutes les galaxies.*
  — *C'est quoi l'Univers, papa? C'est quoi des galaxies? Est-ce que c'est plus gros que le ciel?*
  — *C'est l'infini, Mandoline. C'est comme les chiffres, il n'y a pas de fin.*
  — *Mais papa, si moi je t'aime juste comme le ciel, ça veut pas dire que tu m'aimes plus que moi et que moi je t'aime moins?*

J'aurais mille choses à te raconter, papa. Mais tu es parti. Encore une fois.

Je me colle contre l'ourson que mon papa m'a donné avant de nous quitter. Je prends son oreille gauche entre mon pouce et mon index et je la frotte, longtemps, longtemps, jusqu'à ce que je m'endorme. Je ferai ça tous les soirs, lui frotter l'oreille à l'ourson, jusqu'à ce que je sois très fâchée contre lui parce que mon papa ne revient pas. Je serai tellement fâchée que je le vendrai dix sous, et avec les sous, j'achèterai des bonbons. Mais après les avoir mangés, je serai encore plus fâchée, parce qu'en plus de m'ennuyer de mon papa qui ne revient pas, je m'ennuierai de mon toutou qui me consolait au moins un peu. Il avait une oreille usée, mais je l'aimais beaucoup quand même.

Papa, j'avais cinq ans quand tu m'as donné l'ourson. Sept, quand je l'ai vendu. Presque dix-huit quand j'ai volé un toutou qui lui ressemblait dans un grand magasin. À cause d'Isa. Je me suis fait prendre. C'est à cause du toutou volé que je me suis retrouvée en cure de désintoxication. Le thérapeute a dit que cet ourson m'avait probablement sauvé la vie. Je n'ai rien dit à propos d'Isa. Ni au psy ni à Claire.

Tu m'as dit : « Prends soin de toi, Petite Douceur. » Tu m'as donné le toutou, tu es parti et tu n'es jamais revenu. Plus jamais. Sauf aujourd'hui pour me donner cette phrase.

C'est bizarre, papa, je ne sais pas si je suis triste, fâchée ou contente. C'est confus et intense. Pas facile à digérer, cette phrase, tu comprends ?

Regarde, papa, je ne suis pas en train de cacher ma peine dans le whisky, je prends soin de moi, je pleure ! Tu vois, papa, la fille de vingt et un ans qui pleure, sur ce banc, eh bien elle n'est pas toute seule. Il y a une petite fille de cinq ans qui pleure aussi. Et une autre qui vient tout juste d'avoir sept ans. Regarde, papa, regarde aussi cette ado. Elle a quatorze ans. Elle, elle s'étouffe avec ses larmes dans une cabine sur un paquebot. Dans l'autre lit, Aude dort en suçant son pouce. Tu te souviens d'Aude ? Elle était bébé quand tu es parti. Aujourd'hui, c'est elle qui prend soin de maman. Elle est parfaite, Aude, vraiment : gentille, dévouée, organisée, studieuse. Elle est tout ce que je ne suis pas. Mais tu sais quoi ? À quinze ans, elle suçait encore son pouce en dormant. Moi non plus, je ne suis pas capable de vivre avec maman et Aude, mais ça ne veut pas dire que je ne les aime pas, hein ? Pourquoi tu n'as pas donné de toutou à Aude avant de t'en aller ? Moi, j'aurais pu lui donner le mien au lieu de le vendre mais j'y ai pensé trop tard. Pas vrai. Je ne voulais pas lui faire plaisir, à Aude. J'aimais lui faire peur, lui faire mal, mais pas lui faire plaisir.

Sauf quand j'avais trop de remords. Alors je lui racontais des histoires.

Ostifi que je pleure, papa! Peut-être que c'est nécessaire. Mais j'ai mal. M'entends-tu, papa?

La petite phrase que tu viens de me donner, je la dépose dans un coffre au trésor : dans mon cœur qui savait que c'était toi, mon papa, ce matin-là, au parc, mais il n'y avait plus de place dans ma tête pour cette vérité-là : «C'est mon père». Alors, j'ai bu pour faire semblant de ne pas savoir.

Papa, tout à l'heure, tu m'as donné TOUT ce que tu pouvais : une phrase. Comme le toutou avant de t'en aller pour toujours. Toujours ou presque. Tu ne te doutais pas qu'il était empoisonné, ce toutou? Oui, avec du poison de trahison : je t'aime, je t'offre un ourson et je t'abandonne. Parce que je t'aime, je t'offre un ourson, mais je t'abandonne.

Tu sais pas compter, papa.

1 je t'aime + 1 toutou + 1 abandon = NÉANT

Tu t'es encore trompé : le néant, c'est pas l'Univers et toutes les galaxies.

Tu m'as offert le toutou, ensuite, je l'ai vendu. Maman m'a donnée à Bob Leroux, ensuite, je me suis vendue.

«Je t'aime», c'est un couteau à une lame, juste une lame et beaucoup de larmes par en dedans. Tout un océan de blessures. Y a que ça pour moi qui est sûr : de l'encre rouge indélébile qui marque pour toujours *Moi, je suis capable de me vendre. Pas de me donner.*

C'est chien en ostifi! Trouves-tu que c'est chien?

Papa, cette phrase-cadeau, est-ce qu'elle est empoisonnée, elle aussi?

Le visage d'Isa me traverse l'esprit. En coup de vent.

Elle m'a donné une phrase, elle aussi. Non, pas une phrase, juste un petit bout : «Cette maison n'est pas...»

Épuisée par cette nuit presque blanche et ce jour pas tout à fait noir, j'ouvre les yeux. Mon regard fixe la vieille maison croche. J'ignore ce qu'elle n'est pas, mais je sais qu'on la démolira.

Moi, j'ai besoin de croire que je suis quelqu'un qui va quelque part. Sinon, à quoi bon continuer ? Alors, toi que je n'appellerai plus jamais Dieu, oui, toi qui permets le bonheur de l'attachement et la douleur de l'arrachement, peux-tu répondre à ça : « Je fais quoi maintenant ? »

— Prends soin de toi, Petite Douceur, me dit une petite voix.

Une petite voix. En moi.

Vingt et un moins cinq, ça donne combien ?

$$21\text{-}5 = 16$$

Seize ans de larmes ravalées, ça fait beaucoup à pleurer tout d'un coup, hein, papa ?

Soixante-trois

— M andoline, quelle coïncidence ! J'ai justement lu le dossier sur les raccrocheurs, ce matin, dans le magazine *Savoir et Être*. J'ai été très touché par « Un Tango nommé Flora ». Dis donc, toi, est-ce que ça va ?

Le regard de mon ancien prof de français passe de la fille perdue sur le banc du petit parc au flacon de whisky posé à côté d'elle.

— Je sais pas.

Monsieur Mouawad fait un pas vers moi, mais il ne s'assoit pas.

— Je suis content de te voir, me dit-il.

Moi, je sais pas.

— Est-ce qu'on se revoit la semaine prochaine ? C'est moi qui donne le cours de français de cinquième secondaire.

— Je sais pas.

— Tu ne sais pas si tu reviens à l'école ?

— Je sais pas.

— Mandoline, est-ce que je peux faire quelque chose pour toi ?

— Je sais pas.

Abdi Mouawad s'apprête à s'asseoir. Je me lève. Je veux m'en aller. Je ne veux pas parler. Je ne peux pas.

— Mandoline, qu'est-ce que tu ne sais pas ?

— Je sais pas, je vous dis. Aujourd'hui, je sais rien de rien du tout.

Je lui balance : « Excusez-moi. »

Et je pars.

Je marche. Je sais que je marche longtemps avant de m'arrêter devant cette vitrine. Et si le destin nous faisait signe par hasard ?

Cette fille qui ouvre la porte, et qui entre, l'air de savoir exactement ce qu'elle veut, est-ce vraiment moi ?

Soixante-quatre

Je cherche mais je ne trouve pas. Je ne peux quand même pas demander à la vendeuse de m'aider !

Je fais le tour des rayons. Je ne trouve toujours pas.

Finalement oui. Sur un bloc, en avant, près de la caisse.

Je m'assure de ne pas être vue, je prends le livre et m'apprête à le glisser sous ma chemise. Je m'aperçois que j'ai oublié le flacon de whisky sur le banc du parc.

— Bonjour.

Je sursaute. La femme est arrivée par-derrière. Je ne l'ai pas entendue venir. La libraire me sourit très grand. Elle se penche maintenant vers moi et murmure :

— Mandoline, n'est-ce pas ?

Je ne comprends pas. Mon prénom n'est quand même pas imprimé sur mon front. La libraire ajoute, encore plus bas : « Alcooliques anonymes. Je t'ai entendue partager, le printemps dernier. Ton témoignage et ton prénom m'avaient frappée. J'en étais à mes premières réunions, et je ne savais pas si j'allais adhérer ou non. Ça fait trois mois que je n'ai pas bu. Je m'appelle Brigitte. »

Je ne sais pas quoi dire.

La rigoureuse honnêteté, Mandoline.

R-I-G-O-U-R-E-U-S-E

— J'allais vous piquer ce livre, vous savez.

Brigitte n'interrompt pas son sourire. C'est dérangeant.

Elle me prend le livre des mains, va derrière le comptoir, le met dans un sac et me le tend.

— Deux choses : je te fais crédit et je te fais confiance, me dit-elle.

Je suis bouleversée par son geste. Je voudrais promettre à cette femme que je viendrai payer le livre, mais les mots restent coincés dans l'intention.

Je dis : « Merci. » Ce mot tout petit, malmené par un bizarre de trémolo, a eu du mal à traverser ma gorge.

En sortant de la librairie, je retourne au parc. Le whisky que j'ai failli boire a disparu.

Soixante-cinq

J e suis fatiguée et je décide de rentrer chez moi. Ce jour est trop chargé : de sens et d'émotions fortes. Un jour ni blanc ni noir, ni rose ni bleu. Au fait, il est de quelle couleur, ce jour ?

Un ciel couleur Vanille.

Je n'hallucine pas : c'est vraiment ce qui est écrit sur l'affiche du film. Et si c'était vraiment vrai que le destin nous faisait signe par hasard ?

J'entre au club vidéo.

~

Je me dirige vers le comptoir. Une cliente passe devant moi en demandant :

— Avez-vous *La Leçon de tango* ?

Leçon de tango ? Ostifi, aujourd'hui l'espoir joue au yo-yo avec ma vie.

— Vous voulez dire *La Leçon de piano*, réplique la fille, derrière le comptoir.

C'est le cas de le dire ; la cliente exaspérée fusille la caissière du regard. Mais celle-ci ne se laisse pas abattre et, à son tour, fusille la femme. La scène pourrait avoir lieu dans un vieux western. Il ne manque que les chapeaux de cow-boy et les pistolets.

La cliente revient à la charge. Elle balance sèchement :

— Non, mademoiselle. *La Leçon de tango.*

Tango ? Piano ?

— Le film de Jane Campion, madame, c'est *La Leçon de piano*, j'en suis sûre, argumente la fille, tout aussi convaincue.

Piano ? Tango ?

— Je le sais, mais moi, je vous parle du film de Sally Potter et c'est *La Leçon de tango*, j'en suis sûre, répond la dame qui a haussé le ton puis expiré très fort.

Ce ton est devenu si tranchant qu'il a touché la fille. Moins sûre d'elle, tout à coup, elle pitonne sur son clavier d'ordinateur. Blessée dans son orgueil, elle rend les armes quelques secondes plus tard :

— Vous avez raison, ce film existe, mais nous ne l'avons pas.

Visiblement fière d'avoir remporté le duel, mais franchement déçue de repartir sans son film, la cliente fiche le camp sans un mot ni un regard de plus. Quant à la fille blessée dans son amour-propre, elle suit cette cliente du regard, l'air franchement contente que cette dernière reparte les mains vides. À chacune sa victoire.

Je m'approche du comptoir et je demande à voir le gérant ou la gérante. La fille lève la tête et me dit :

— C'est moi.

— Je voudrais faire une demande d'emploi.

Cela se passe très, très vite. La gérante s'appelle Sophie et elle me demande si je suis disponible dès ce soir.

— Oui, que je lui réponds.

Deux employés viennent de la prévenir qu'ils ne rentreront pas : l'un d'eux à cause d'une gastro, l'autre parce qu'elle s'est trouvé autre chose.

La gérante me tend un formulaire, me sourit et, l'air soulagée, s'exclame :

— Tu tombes du ciel, toi !

Je réplique intérieurement : « Un ciel couleur vanille. »

Et je souris, moi aussi.

Je remplis le formulaire et le dépose sur le comptoir. Sophie lui jette un coup d'œil.

— Tu commences à dix-sept heures. Jusqu'à minuit, m'annonce-t-elle.

Juste avant de mettre les pieds ici, je m'étais demandé : « Et si c'était vraiment vrai que le destin nous faisait signe par hasard ? » Si j'avais bu le whisky, tout à l'heure, au parc, je ne me serais pas trouvé d'emploi.

En marchant sur le trottoir, je souris. Je ne sais pas à qui, mais je souris. C'est comme une petite musique douce entre mes lèvres, douce et bourrée d'espoir.

Ce travail est un cadeau, comme ce livre que je n'ai même pas eu besoin de voler. Un cadeau et une leçon. Le cadeau me permet de dire merci (Oui, mais à qui ? Ah, ta gueule !). La leçon me rappelle de rester à l'écoute.

Soixante-six

Midi cinquante-sept. Il faut absolument que je fasse une sieste avant de commencer mon nouveau travail.

En route pour ma chambre, je vire de bord. Le temps s'est adouci et éclairci. Je n'ai pas mis le nez dans le jardin de l'été. Pourquoi ne pas piquer un somme à l'ombre et au grand air ? Bonne idée.

Je m'installe sur une chaise longue, près du lilas, en compagnie de Félix Vadeboncœur. *Et si le destin nous faisait signe par hasard ?* Il me rend nerveuse, ce livre, mais je l'ouvre. Un cri de corneille me fait sursauter à m'en donner des sueurs froides. Je cherche l'oiseau des yeux. Il a déjà survolé le jardin. Je lui crie :

— Salut, toi !

Te v'là rendue que tu parles aux corneilles, maintenant ? Oui, et après ?

J'entrevois une grande tige sous la fenêtre de ma chambre. Mais le soleil me plombe en pleine face, alors l'image est floue.

Poussée par une curiosité subite, moi qui ne me suis jamais intéressée à l'horticulture, je vais voir de plus près.

Ostifi ! Je ne connais pas les fleurs mais je sais que celle-là, c'est un tournesol. Et il n'a pas poussé dans la terre noire pleine d'engrais et toute désherbée, parmi les autres fleurs, dans la jolie plate-bande que Claire a aménagée. Non, cette grande fleur a grandi dans une toute petite faille de l'asphalte, sous ma fenêtre. Ça me vire à l'envers.

Je me rends compte, maintenant, que ce tournesol est le seul représentant de sa famille dans les environs. Le seul.

La fameuse corneille qui s'était frappée à ma fenêtre, et qui m'a laissé le très beau dessin de poussière, a-t-elle échappé une graine, juste là, dans la petite fente ?

Je vais chercher ma chaise longue, la dépose à côté du tournesol et m'étends, au soleil.

Pourquoi je me mets à pleurer comme un veau, comme une Madeleine et comme une enfant réunis ? Je n'ai même pas eu le temps de m'apercevoir que j'arrivais au bord des larmes.

~

Je me réveille en sursaut. Il est 16 heures 42. Juste le temps de me rendre au club vidéo.

Soixante-sept

J e reviens à la maison crevée mais contente de ma soirée. J'ai l'impression d'avoir vécu toute une vie depuis mon réveil.

— *Papa?*

— *Quoi, Mandoline?*

— *Qu'est-ce que tu as?*

— *Je suis crevé, Mandoline.*

— *Mais quand on est crevé, ça veut pas dire qu'on est percé, hein, papa?*

Un petit bonheur, égaré dans les douleurs gelées, tout à coup surgit dans une étonnante clarté. Ma mémoire est une boîte à surprises.

J'allume ma lampe de chevet et me laisse tomber dans mon lit. Il y a un bout de papier sur mon oreiller. Claire a-t-elle décidé de semer de nouveau des pensées positives sur ma route?

C'est écrit : *Nicolas a téléphoné.*

Nicolas a appelé! Minuit treize. Trop tard pour le rappeler. Mais comment je vais faire pour patienter jusqu'à demain? Nicolas-a-appelé!

Il m'a peut-être envoyé un courriel. Je m'élance dans le bureau, allume l'ordinateur... Est-ce que j'ai la berlue? J'ai l'impression d'entendre Claire pleurer dans sa chambre. Je m'aventure dans le corridor.

Claire pleure pour de vrai. Doucement mais pour de vrai.

Il n'y a pas de lumière. Je frappe doucement à sa porte en disant tout bas : « C'est moi. »

— As-tu vu ton message? me demande-t-elle.

— Oui. Est-ce que je peux entrer?

Elle répond :

— Si tu veux.

J'ouvre la porte. Elle allume.

— Claire, qu'est-ce que tu as?

— Ça s'appelle une peine d'amour.

Une peine d'amour? J'ignorais que Claire était amoureuse.

— Tu sais, Mandoline, la Terre ne s'est pas arrêtée de tourner parce que tu t'es remise à boire.

Je n'ai rien vu. Rien, rien.

Mais je revois Nicolas en robe de chambre et sa gazelle bondissante. Je sais bien que la Terre ne s'est pas arrêtée de tourner... en mon absence. Je reviens de loin, c'est tout.

Je voudrais consoler Claire mais je ne suis pas capable. Trop vidée. Je n'ai même pas d'énergie pour lui raconter ce qui s'est passé aujourd'hui. Je dis seulement :

— Je reviens de travailler.

— Je suis contente que tu te sois trouvé un emploi. Et je te félicite pour ton bulletin. Tu t'es surpassée. J'ai lu aussi ton portrait dans *Savoir et Être*. Il peut donner de l'espoir, tu sais.

Je pense : «La fille a bu comme un trou... mais l'espoir se faufile à travers le trou.»

Claire s'adosse contre sa tête de lit.

— Autre chose : il te va très bien, ce pantalon, ajoute-t-elle.

— Ah! Mon dieu! J'ai complètement oublié! Merci!

Que je me sens *cheap*!

— Il est très tard et j'ai une grosse journée demain...

Je lui dis :

— OK, bonne nuit.

Je quitte sa chambre, referme derrière moi et retourne dans le bureau.

Je me branche sur Internet. Je n'ai reçu qu'un seul courriel. Nicolas ne m'a pas écrit. Mais Jennifer, oui.

Mandoline,
Je ne sais pas si je tiendrai le coup, mais si je ne suis pas six pieds
sous terre, c'est grâce à toi.
Merci,
Jennifer

~

Jennifer, tu ne te doutes pas que c'est grâce à toi si je ne suis pas six
pieds sous terre, moi aussi. Dire que c'est là qu'on a failli se retrouver,
six pieds sous terre ! Quand je t'ai tendu la main, ce jour-là, au parc,
je ne me doutais pas que, moi aussi, j'avais besoin de toi. Autant besoin
de toi que toi de moi.

Il avait peut-être raison, Émile Ajar : « On a toujours besoin de
quelqu'un qui a besoin de nous. *»*
Mandoline

Je prends le tee-shirt sous mon oreiller, le renifle : il sent de
moins en moins nous deux et de plus en plus moi. Je l'enfile.

En me glissant sous les couvertures, je pense à un détail. Un
tout petit détail : l'entrevue prévue avec le journaliste Nicolas
Chevalier avait été reportée. Sans ce contretemps, je ne serais pas
allée au parc et je n'aurais pas tendu la main à cette fille en détresse.
Cette ado qui m'a tendu la perche pour m'empêcher de replonger
dans la drogue, hier soir...

Je rallume la lampe, juste pour revoir les trois mots sur le bout
de papier : *Nicolas a téléphoné.*

Je glisse le message dans le livre de Félix Vadeboncœur. Je
m'apprête à éteindre. Le store est ouvert. Je me lève, mais avant de
fermer le store, j'oblige mon regard à s'arrêter sur l'empreinte de
la corneille.

Je retourne au lit et j'éteins.

Nicolas m'a appelée.

Pourquoi?

Est-ce qu'il veut me voir?

La gazelle bondit dans mon esprit. Non, pas la gazelle, la vache folle! En tout cas, celle que Nicolas a dans la peau.

Prends soin de toi, Petite Douceur.

Je pense à mon papa, mais ça me fait mal. Et je pense à la poudre dans le tiroir, mais je ne veux pas la prendre.

Prends soin de toi quand même, Petite Douceur.

Je pense fort, fort, fort au tournesol qui a poussé dans la faille de l'asphalte. J'essaie de m'endormir sur cette image, mais Léa vient se planter devant ma fleur.

— Ôte-toi de là, maudite achalante!

Prends soin de toi, Petite Douceur.

Peur et espoir à égalité. J'oscille entre les idées noires et les idées blanches. Non mais c'est vrai, pourquoi on ne dit pas «Avoir des idées blanches» quand il s'agit d'espoir?

Je m'endors sur cette question.

Soixante-huit

J e le vois à seize heures, sur le banc du petit parc : mon île verte, au milieu de l'océan d'asphalte.

J'ai du mal à tenir en place.

Je reverrai Nicolas à seize heures. Dans plusieurs longues heures.

Neuf heures trente-sept. Il fait beau. J'emporte *Et si le destin nous faisait signe par hasard ?* et je m'installe dans le jardin, à côté du tournesol !

À nous deux, monsieur Vadeboncœur.

La plus belle chose dont nous pouvons
faire l'expérience est le mystérieux.
Albert Einstein

Tiens, cette jolie pensée, je devrais la refiler à Claire.

Chapitre I
Un rendez-vous chargé de sens

Dans l'Antiquité, les Grecs avaient un dieu du moment opportun :
il s'appelait Kaïros. En 1754, un philosophe anglais, Sir Horacio
Walpole, inventa le mot Serendipity pour définir la faculté de trouver
par hasard ce dont on a besoin. Plus près de nous, le psychanalyste
Carl Gustav Jung nous donna le terme « synchronicité » pour exprimer

une coïncidence significative. Ce mot vient de « sun-chronos », le temps qui va ensemble.

C'est dans le cabinet de Jung, d'ailleurs, qu'a eu lieu l'une des plus célèbres coïncidences étranges. Une cliente, très résistante au traitement thérapeutique, racontait un rêve qu'elle avait fait et dans lequel elle recevait en cadeau un scarabée doré. Au même moment, une cétoine dorée, insecte de type scarabéide, se heurta à la fenêtre, assez fortement pour attirer l'attention de Jung et de sa cliente. Sous le choc, la femme commença à s'ouvrir au processus thérapeutique.

J'avais déjà entendu parler de ce cas. Mais, comme beaucoup de gens, je demeurais sceptique face à la théorie de la synchronicité. Il a fallu que j'expérimente une coïncidence fulgurante, moi aussi, pour que mes résistances tombent et que mon esprit s'ouvre à cette idée d'un sens chargé de nous éclairer. Et comme pour cette patiente de Jung, la synchronicité dont j'ai été témoin a eu lieu à une fenêtre. Elle ne met pas en scène un scarabée mais un bonhomme-feuilles...

Soixante-neuf

J'ai dévoré *Et si le destin nous faisait signe par hasard?* Il serait plus juste d'affirmer que le livre m'a dévorée. C'est la lectrice qui a disparu, pas le livre. C'est la première fois que ça m'arrive. D'être dévorée par un livre, je veux dire.

Et moi qui avais dit à Nicolas : « Il y a tellement de phrases qui se font toutes seules dans ma tête. Je ne sais plus où les mettre. Alors, en rajouter... »

Il est 14 heures 43 et la lecture de cet essai continue de me chambouler de fond en comble. Je n'ai peut-être pas tout saisi, mais pour le moment, je retiens ceci : la vie parle à travers des coïncidences chargées de sens. Ça me fascine, me réconforte, m'encourage.

Une chose est sûre : si je n'avais pas vécu toutes ces synchronicités, je penserais que l'auteur a écrit n'importe quoi pour se faire remarquer. Mais voilà, je les ai vécues... Et à jeun !

On ne peut pas expliquer la cause d'une synchronicité. Mais l'idée que l'on puisse y trouver un sens me procure une sacrée dose d'espoir. Parce que du sens, ma vie en a besoin.

Je repense à la synchronicité que Félix Vadeboncœur a vécue lorsqu'il était étudiant, pendant un exercice d'imagerie. Je repense aussi à cette patiente de Jung et à l'oiseau noir de mes cauchemars qui s'est frappé contre la fenêtre de ma chambre. Je la trouve très intrigante, cette fenêtre commune à ces trois coïncidences.

Quinze heures vingt-sept.

« Sun-chronos » : le temps qui « va ensemble ». Il est l'heure de marcher jusqu'à Nicolas, l'heure de m'ouvrir très grand pour ne rien manquer de ce que la vie veut me raconter dans sa drôle de langue de signes...

Soixante-dix

J'arrive un peu en avance. Assis sur le banc, Nicolas est plongé dans un livre de l'abbé Prévost. Un abbé, est-ce que ce n'est pas une sorte de prêtre ou de curé?

Il lève les yeux sur moi. Mon cœur devient complètement fou. Comme un gorille au zoo secoue les barreaux de sa cage.

Silence. Regards troublés et troublants.

Je regarde la bouche de Nicolas. Cette bouche qui m'a donné des frissons jusqu'au bout de mes ongles d'orteils. Flèches de plaisir lumineux. Y penser me donne chaud. Presque trop chaud.

Qui brisera la glace en premier?

On dit «Salut» en même temps. Est-ce que c'est bon signe?

Je m'assois à côté de Nicolas. Il dépose son livre. Mon cœur continue de brasser sa cage comme un déchaîné.

Nicolas croise les bras et la douceur de son regard s'en va.

— Tu veux savoir ce que Léa faisait chez moi, le matin où tu es venue? me demande-t-il.

Il ne passe pas par quatre chemins. Tant mieux. Oui, je veux savoir! Tu n'as pas idée comme je veux le savoir!

— Comme elle l'a fait maintes et maintes fois, elle a débarqué, comme si de rien n'était, pour qu'on reprenne là où on avait laissé. «Coucou, Nicolas! Me revoilà! Ton cœur, bien accroché, est un yo-yo entre mes doigts! Je m'amuse un peu, je me lasse, je m'en vais, jusqu'à la prochaine fois.»

Et toi, Nicolas, tu as fait quoi? Dis-le-moi, s'il te plaît!

— Tu veux savoir ce que moi, j'ai fait ? ajoute-t-il.

Je fais un grand oui avec ma tête.

— Je lui ai dit : « Ma chère Léa, disparais de ma vie, s'il te plaît. Je n'en veux plus, moi, de ce petit jeu-là. »

Il l'a chassée ! Nicolas a chassé la gazelle vache et folle ! Et moi qui croyais que... Tout n'est peut-être pas perdu pour nous deux. J'entrevois, il me semble, des petites traces d'espoir sur ma vie noire d'il n'y a pas si longtemps.

— Et toi, Mandoline, qu'est-ce que tu as fait avec moi ?

Je n'aime pas cette question, ni le ton de sa voix ni ce regard pas du tout tendre. Je n'ai même pas le temps de dire quoi que ce soit.

— La même chose que Léa, répond Nicolas.

Je réagis :

— Non, je t'assure...

Nicolas me coupe la parole :

— Ah non ? Moi, j'y lis le même scénario : Je te séduis, je t'accroche le cœur bien comme il faut, je joue avec lui pendant un certain temps, je me lasse et je fous le camp !

— Non, Nicolas, je te jure que je ne suis pas comme Léa ! C'est vrai que, vues de l'extérieur, nos attitudes se ressemblent mais...

Mais dans les yeux de Nicolas, je suis une fille aussi toxique que Léa. Comment le convaincre qu'il se trompe ? De toute façon, Nicolas se trompe-t-il ? Je suis peut-être une salope, après tout. Je l'ai cru pendant si longtemps. Ce ne serait pas difficile de le croire de nouveau...

Je lui demande :

— Pourquoi tu m'as donné rendez-vous, d'abord ?

— Pour te dire ma façon de penser, comme je l'ai fait avec Léa : Y en a marre, des filles qui prennent mon cœur pour un yo-yo !

Une grosse main sale efface les petites traces de confiance sur la toile sombre de ma vie. Et moi, y en a marre de l'espoir qui s'amuse avec mes nerfs !

Nicolas ajoute :

— Nous deux, c'était peut-être la rencontre de deux blessures. Et deux blessures qui s'unissent, est-ce que ça ne fait pas juste une blessure encore plus grande ?

Un grand lac d'eau rouge se dessine dans mon esprit. Rouge parce que c'est du sang. Pas un lac. Un océan de blessures. De l'encre rouge indélébile...

J'essaie de chasser ces images de mon esprit, mais je n'y arrive pas. Je demande à Nicolas :

— Qu'est-ce que tu veux dire ?

— Je crois comprendre, grâce à mes relations avec Léa et toi, le schéma que nous avons en commun, toi et moi.

— Quel schéma ?

— Celui de l'abandon, Mandoline.

— L'abandon ?

— Oui. Toi, abandonnée par ton père, et moi, par ma mère.

Nicolas ne m'avait jamais dit que sa mère l'avait abandonné. Il poursuit :

— Ma mère n'a pas foutu le camp comme ton père, c'est vrai. Mais elle s'est consacrée à une petite voisine handicapée qu'elle aimait plus que son fils, alors... Toi et moi, peut-être qu'on s'arrange toujours pour réécrire le même scénario, histoire de se retrouver en terrain connu : est-ce que nous ne sommes pas immanquablement attirés par des partenaires cruels ? C'est une hypothèse et ça vaut ce que ça vaut.

Je riposte :

— Tu es un gars cruel, toi ?

Nicolas sourit avant de me balancer :

— Tu n'es pas restée avec moi, non plus.

Son regard s'adoucit.

— Nous deux, Mandoline, c'était plutôt chouette, non ?

Oui, c'était chouette, mais je n'ai pas le temps de placer un mot. Nicolas enchaîne :

— Mais je ne correspondais pas au bourreau de ton histoire. De mon côté, je ne veux plus de ce rôle de souffre-douleur-de-fille-cruelle.

Je laisse tomber tout bas :

— La nuit où je me suis enfuie de chez toi, l'oiseau de malheur est sorti de mon rêve pour venir me hanter dans la réalité.

Nicolas me dévisage, sans réussir à saisir le sens de mes paroles. Normal, je ne lui ai pas parlé de mes cauchemars.

— Tu veux bien m'expliquer pour que je comprenne ? me demande-t-il.

Je lui raconte mes rêves de corbeau et l'épisode où l'oiseau a débarqué dans la réalité. De toute évidence, il est fasciné par cette coïncidence.

— Je comprends, maintenant, la répulsion que tu as éprouvée pour le tableau que Léa m'a offert : un corbeau chevalier.

À qui le dis-tu !

Puis il me parle de Félix Vadeboncœur, psychologue et auteur de... Je coupe la parole à Nicolas et j'achève sa phrase :

— ... *Et si le destin nous faisait signe par hasard ?*, un essai sur la synchronicité.

— Tu connais ? s'exclame-t-il.

— Tu ne me croiras peut-être pas, mais je l'ai lu juste avant de venir ici. Tu m'en avais glissé un mot, une fois, mais c'était passé dans le beurre.

Je lui raconte maintenant l'empreinte de la corneille et la capsule ornithologique dans la revue *Savoir et Être* que j'avais achetée par erreur, peu avant qu'il me contacte pour l'entrevue.

— J'ai retrouvé le magazine derrière le calorifère, juste avant d'aller chez toi, avant-hier.

— Presque difficile à croire, mais fascinant, s'exclame Nicolas. Tu sais, si je n'avais pas fait l'entrevue avec l'auteur et, surtout, si je n'avais pas rêvé à une mandoline juste avant de te rencontrer, je serais convaincu que l'histoire que tu me racontes ne tient pas debout.

Dans un rêve que j'ai fait, il y avait un coffre rempli de tissus, une aiguille et du fil d'or...

— Je ne sais pas si mon histoire tient debout. Moi, ce qui m'intéresse, c'est de trouver le fil pour recoudre les morceaux déchirés de mon histoire.

Besoin de savoir que je suis quelqu'un qui va quelque part. Sinon, à quoi bon continuer ?

J'ajoute :

— Nicolas, à propos des morceaux déchirés de mon histoire, ce n'est pas tout. Entre le cauchemar de corbeau que j'ai fait chez toi, ma fugue en pleine nuit, l'oiseau qui s'est frappé à ma fenêtre et l'empreinte qu'il a laissée, je... J'avais croisé mon père, par hasard. Je ne voulais pas savoir que c'était lui et je me suis remise à boire. Depuis, je l'ai revu. Une fois...

Nicolas décroise les bras. Pour regarder sa montre.

— Oups ! Je suis vraiment désolé, Mandoline, mais je dois filer. J'ai un rendez-vous très important.

Il se lève, pose sa main sur mon épaule et ajoute :

— Bonne chance.

Bonne chance. Il m'aurait crié : « Va chier », ça n'aurait rien changé.

Soixante et onze

Le départ précipité de Nicolas creuse un gouffre en moi. Il est si facile de tomber dans ce vide-là. Si tentant aussi de s'engourdir pour ne pas sentir le vertige juste avant le plongeon.

— Prends soin de toi, Petite Douceur.

Je me surprends à espérer que mon père revienne pour me consoler.

— *Papa...*

— *Oui, Mandoline?*

— *Quand je vais être grande, est-ce que j'aurai une voix de petite fille? Mais pourquoi tu ris, papa?*

— *Je ris parce que je trouve ça beau.*

Mon papa ne vient pas. Mon papa me donne des cadeaux et il sacre son camp. Le vide menace de m'aspirer de nouveau et ça me donne soif.

— Accroche-toi, me souffle une petite voix.

Une petite voix en moi, qui flotte au-dessus du vide.

M'accrocher à quoi? Je suis seule sur cette minuscule île de verdure entourée d'asphalte et de béton, sans accès direct à l'espoir.

L'asphalte.

C'est peut-être fou, mais je pense au tournesol sous la fenêtre de ma chambre. Il a poussé dans l'asphalte. C'est à lui que je m'accroche. Une seconde à la fois. En me répétant : « Si cette fleur peut vivre dans l'asphalte, je peux survivre à tout ce béton qui m'entoure. »

Je survis. Une minute à la fois. Mais j'ai besoin de ma marraine.

Soixante-douze

Comme je mets les pieds dans le vestibule, Claire vient à ma rencontre.

— Bonne soirée, me dit-elle.

Comment ça, «Bonne soirée»? Je lui demande :

— Tu t'en vas?

— Oui.

J'ai tant crié à Claire «Fous-moi la paix!» et «Arrête de m'é-cœurer!». C'est ce qu'elle fait maintenant.

Claire, je voudrais que tu arrêtes de me foutre la paix et que tu m'achales un peu avec ta patience, ta tendresse et tes bijoux-de-mots.

Elle jette un coup d'œil à son reflet dans le miroir, prend son sac à main et ses clefs.

Je dis :

— Tu vas où?

— À ma réunion, me répond-elle.

— Mais depuis quand tu vas à une réunion le mercredi soir?

— Depuis que je fais Al-Anon.

Je ne saisis pas.

— Mais Al-Anon, c'est pour ceux qui sont affectés par l'alcoolisme de quelqu'un d'autre!

— En plein dans le mille! me balance-t-elle.

Bang. Je ne m'attendais pas à ce coup.

Je frappe un mur. Un autre. La rage s'empare de moi. J'ai envie de fesser. J'ai encore des poings pour cogner.

— C'est ça, vas-y à ton maudit meeting à la con, pardon, Al-Anon !

Claire fait comme si elle ne m'avait pas entendue et me répète :

— Bonne soirée, Mandoline.

Je lui crache :

— Et tu vas essayer de me faire accroire, après ça, que les alcooliques s'entraident ?

Elle met sa main sur la poignée de porte. Je l'attrape par la manche en hurlant :

— Hein, Claire-comme-de-l'eau-de-roche ? Qu'est-ce que tu réponds à ça ?

Claire se dégage.

Silence. Un ostifi de gros silence intolérable. Je deviens complètement déchaînée.

— C'est ça, laisse-moi tomber quand j'ai besoin de toi. Pis profites-en donc pour te faire sauter par un membre Al-Anon !

C'est vache, ce que je viens de lui lancer. Vraiment vache. La colère traverse le regard de Claire. Mais elle détourne la tête. Je la relance :

— Vas-y ! Sors-la ta colère, Claire ! Qu'est-ce que tu attends pour me cracher mes quatre, mes douze puis mes quarante-douze vérités ? Je t'en ai tellement fait baver, cet été, hein ? Ah non, c'est vrai, tu préfères aller bavasser dans mos dos à des gens qui te comprennent parce qu'ils vivent la même chose que toi ! Maudite hypocrite !

Ma coloc dépose son sac à main et ses clefs sur le bahut et s'en va dans sa chambre. Enragée, je la suis de près. Elle ouvre le tiroir de sa table de chevet. Deux secondes plus tard, elle me flanque le bottin des réunions des Alcooliques anonymes dans les mains et daigne enfin m'adresser la parole :

— Parmi tout ce beau monde, tu trouveras bien une personne qui n'est pas hypocrite. En tout cas, bonne chance !

Bonne chance ? Je hurle :

— Ta gueule !

Claire passe la porte. Elle n'a pas posé un doigt au hasard sur l'une des promesses A.A. affichées dans l'entrée, comme elle l'a toujours fait depuis que je la connais.

Mes mains s'en prennent au bottin des A.A. Incapable de le déchirer, je le lance de toutes mes forces au bout du corridor, et je me venge sur les promesses. J'arrache la feuille, la réduis en miettes.

Les pieds dans les confettis de promesses, je crie comme une perdue :

— C'est ça, sacre ton camp! Laisse-moi tomber! Je suis habituée, d'abord!

Soixante-treize

Qu'est-ce qui m'a pris? Je n'ai pas bu une goutte d'alcool, mais j'ai agi avec Claire comme si j'étais complètement soûle.

Je ne veux pas être toute seule. Il ne faut pas que je reste toute seule. Je ne me fais pas confiance.

« Appelle Paul. »

Oui, c'est une bonne idée. Paul, il m'a fait du bien très souvent. Répondeur.

« Essaie son cellulaire. »

Désolée, l'abonné que bla, bla, bla n'est pas disponible.

J'essaie de joindre deux autres membres. Je suis accueillie par un autre répondeur et une boîte vocale.

Y a pas un membre A.A. qui voulait être tout seul, ce soir.

La libraire. C'est une membre A.A., elle aussi.

C'est quoi le nom de la librairie? Le livre. Le livre était dans un sac. Je trouve le sac. Le numéro de la librairie est dessus. Je le compose.

— La librairie est présentement fermée. Veuillez rappeler demain.

Y a le temps de s'en passer des affaires d'ici demain, madame.

J'ai soif. Il y a de la poudre dans le tiroir de la coiffeuse.

« Non, touche pas à ça! »

L'idée d'aller piger une pensée dans le coffre à bijoux-de-mots de Claire me traverse l'esprit. Traverse et s'enfuit.

J'ouvre le tiroir de la coiffeuse.

« C'est du poison, jette-le ! »

Pas capable.

« Débarrasse-toi-z'en, sinon, tu es finie, tu le sais. »

Oui je le sais. J'effleure le sachet du bout des doigts.

« Touche pas à ça ! Jette-le, je te dis ! »

Pas capable !

Je serre le sachet à en avoir mal aux jointures.

« Lâche-le, Mandoline ! Il ne faut pas que tu touches à cette poudre ! »

Je le sais ! Mais c'est pas parce qu'on le sait qu'on est capable de l'appliquer, ça aussi tu le sais !

« Pense à un slogan : *Lâcher prise et s'en remettre à Dieu.* »

Non, pas Dieu ! Plus jamais Dieu !

Mes doigts se desserrent et frôlent au fond du tiroir...

Une carte postale. Du Yukon :

Ai-je trouvé au Yukon ce que tes amis appellent « Puissance supérieure » ? Je ne sais pas comment la nommer, mais c'est une petite flamme qui brille à l'intérieur de moi.

À bientôt,
Sara

Je compose le numéro de téléphone.

Sois-là. S'il te plaît, Sara, réponds !

Ostifi de répondeur de merde !

« Oui, mais laisse un message. »

J'essaie d'avoir l'air « normale ».

— Sara, c'est Mandoline. Rappelle-moi.

Il me faut du whisky. Il y a de la poudre dans le tiroir. Au cas où.

Le téléphone sonne. Je bondis sur lui.

— Mandoline ? Je sortais de la douche quand tu as appelé.

Sara. Bénédiction.

Je m'efforce d'avoir l'air calme pour demander :

— Qu'est-ce que tu fais?

— Du célibat. Et toi?

Moi? Je fais dur en ostifi. Mais ce n'est pas ça que je dis. Je demande à Sara :

— Veux-tu qu'on se voie?

Soixante-quatorze

Le gros Willy se frotte contre mes jambes. Je me rappelle avoir été très jalouse de ce chat parce que Sara se confiait à lui et non à moi.

— Tu as vu le spectacle du Conservatoire ? s'exclame Sara, éberluée.

Je hoche la tête de façon affirmative. Mon amie continue de me dévisager avec ses grands yeux allumés.

— Je n'en reviens pas ! Tu étais dans la salle et tu n'es pas venue me voir ensuite ! Pourquoi ?

Parce qu'une alcoolique peut être très sûre d'elle, entre les murs de soutien des membres A.A., et complètement perdue dans le trafic anonyme d'une salle de théâtre.

— Oh ! Ce serait trop long à expliquer. Disons que je n'étais pas dans mon assiette. Mais je t'ai trouvée très bonne. Non, mieux que ça !

Willy saute sur le divan et va s'installer sur le dossier. Je remarque alors le cadre, sur le mur : un portrait de Sara, au crayon.

— C'est Serge qui l'a fait, l'été où il est mort.

Pendant que Serge, ton premier amour, dessinait ton portrait sur une plage de Wells, moi, je me faisais violer par Bob Leroux, au milieu de l'océan, dans une cabine du Vaisseau d'or...

Je m'informe maintenant de son voyage. Pourquoi le Yukon ? Pourquoi si loin ?

Sara me parle de son ancêtre Fifine dite La douce, danseuse de french-cancan au Crazy Whitehorse, un cabaret de Dawson City, au temps de la ruée vers l'or.

Pourquoi Sara me parle-t-elle de cette aïeule danseuse de french-cancan?

— Tu ne devineras jamais ce qui m'est arrivé! ajoute-t-elle.

À cent ans d'intervalle, Fifine La douce et Sara La fleur bleue ont dansé toutes les deux, au Crazy Whitehorse.

— C'est quand même fou, non?

Je réponds:

— Plutôt, oui.

Mais je pense à ce que j'ai lu sur la synchronicité et à tout ce qui m'est arrivé, ces jours-ci, et je me dis: « Peut-être pas si fou que ça. »

— Mais tu ne sais pas le meilleur! me dit Sara.

Un soir, elle dansait le french-cancan. Il y avait un gars, dans la salle, qui se languissait d'amour pour elle.

— Une scène quasi identique avait eu lieu, un siècle auparavant, au même endroit: Orgile Lemieux, mon arrière-arrière-arrière-grand-père, s'était pâmé pour la belle danseuse Fifine!

Et Sara me parle d'amour. Ses yeux brillent, pétillent, me fatiguent.

Tout à l'heure, au téléphone, elle m'avait dit qu'elle faisait du célibat. Elle n'avait pas précisé « pour la soirée ».

Elle commence à m'étourdir, son histoire d'amour avec son futur-docteur-qui-est-donc-beau-qui-est-donc-fin. Pourquoi la vie de Sara est-elle aussi romantique et palpitante? Pourquoi sa vie et pas la mienne?

Sara parle, parle, parle. Mais-c'est-tu-assez-beau-comme-histoire-non?

Elle m'écœure, aussi, avec son gros bonheur. Avoir su, je ne serais pas venue. Si elle continue, je lui saute dessus.

— En tout cas, Mandoline, tu es une vraie sorcière!

Étonnée, je lui demande:

— Pourquoi tu me dis ça?

Sara me rappelle qu'au temps de la polyvalente Colette, je l'avais poussée dans le dos pour qu'elle tombe dans les bras de ce prince-plus-que-charmant.

— À l'époque, tu te rappelles, je ne voulais rien savoir. Mais on peut dire que tu as été clairvoyante, ajoute-t-elle.

Je réplique :

— On ne peut pas dire que je l'aie été autant pour moi.

Sara m'interroge du regard. Elle attend la suite. Mais la suite ne vient pas.

— Pourquoi tu as dit ça ? insiste-t-elle.

— Moi, j'ai failli vivre quelque chose de très beau avec quelqu'un de très bien...

— Mais ?

— ... j'ai tout bousillé.

Sara veut tout savoir. Qui est ce « quelqu'un de très bien » ? Comment il s'appelle ? Quand est-ce que je l'ai rencontré ? Comment ? Qu'est-ce qu'il fait dans la vie ?

Je raconte : l'entrevue avec le journaliste, l'attrait réciproque, le désir d'un bonheur à deux, un vrai de vrai bonheur, un amour pour de vrai, l'espoir qui laisse croire que tout est possible puis vlan ! La faille ! Le sol qui s'ouvre sous nos pieds, la dégringolade.

— Le monde est à la fois si grand et si petit, s'exclame-t-elle soudain.

Intriguée par sa réplique, je lui demande :

— Quel rapport avec ce que je viens de te conter ?

— Excuse-moi, Mando. J'avais la tête ailleurs. Mais pourquoi ça n'a pas fonctionné, vous deux ?

On dirait qu'un vent se lève. En moi. Fou, le vent. Il me force à m'ouvrir. Malgré moi. Comme s'il réussissait à arracher une porte pourtant bien verrouillée.

Les secrets volent en éclats.

Après Bob Leroux, j'ai essayé de m'endurcir le cœur. À la polyvalente, je couchais avec les gars en m'efforçant de ne pas les aimer. Plus je couchais avec eux, plus je devenais forte. Je m'entraînais : à ne pas aimer, à ne pas m'attacher. C'était le marathon du non-amour. Il a duré jusqu'à ce que je rencontre Gerry. Pourquoi lui? Pourquoi je suis tombée dans le vide de son non-amour à lui? Pourquoi j'ai permis à ce type de faire de moi sa petite chose? Peut-être parce que je ne valais pas grand-chose à mes yeux et que j'avais besoin du regard d'un homme comme lui pour me le confirmer. Gerry, je l'ai cru. Comme on dit, je lui mangeais dans la main. Même s'il n'y avait que des miettes dedans. Même s'il avait les mains sales!

Je manque de salive mais je continue:

— Alors, quand un Nicolas-beau-comme-un-cœur débarque dans la vie d'une fille comme moi, comment veux-tu que ça aille de soi? Tout ce respect, cette douceur, cette attention, c'est dérangeant en ostifi, je peux te le dire! C'est la vie qui est mal faite ou moi?

Sara m'a écoutée avec intérêt et attention. Mais, de toute évidence, elle n'a pas de réponses à mes grandes questions. Il n'y a pas de réponses toutes faites pour les questions pièges que la vie nous pose. Sara ne peut pas comprendre, de toute façon.

— Je comprends tellement ce que tu ressens, me dit-elle pourtant.

Ça me surprendrait beaucoup. Comment pourrait-elle comprendre quoi que ce soit au chaos qui me caractérise? Elle a vécu de très gros chagrins. Mais ses chagrins l'ont solidifiée comme un roc.

Sara plante son regard de feu dans mes yeux.

— Tu sais, Mandoline, pendant longtemps, j'ai refusé qu'on m'aime de nouveau. J'avais trop peur de souffrir encore. Trop peur aussi de vouloir encore mourir.

Sara a dit: «mourir».

— Oui, mourir, précise-t-elle.

Elle me parle de la mort de Serge et de ses retrouvailles avec lui au bord de la lumière blanche. Quand Sara m'avait fait part de cette rencontre dans l'au-delà, à son retour de l'hôpital, j'avais cru à un rêve rapporté du coma.

— Qu'est-ce que tu crois ? Que cette histoire de lumière blanche, c'est de la poésie ? Non, ma chère. Je suis allée très, très loin dans mon désir de retrouver Serge. On avait déclaré que j'étais cliniquement morte et on s'apprêtait à donner mon cœur. J'ai dû choisir entre traverser cette frontière ou rentrer dans mon joli petit corps sur le point d'être charcuté.

Ces confidences me jettent par terre.

— Tu crois que tu es la seule à avoir pataugé dans les bas-fonds de la souffrance, Mandoline Tétrault ?

Sara ajoute.

— Mandoline, je n'ai pas juste dansé, au Yukon. J'ai aussi écrit.

Je ne saisis pas.

— Tu as écrit ?

Une histoire vraie mais romancée. Son histoire d'amour avec Serge et son voyage dans la lumière blanche.

— Mandoline, tu n'as pas idée comme ça m'a fait du bien de raconter sur papier cet épisode de ma vie. J'ai été délivrée d'un poids que je continuais à traîner.

Chez les A.A., la quatrième étape nous suggère de faire un bilan sérieux et courageux de nous-même. Pour pouvoir laisser le passé derrière nous, justement. Claire m'a souvent invitée à faire cette étape. Je l'ai toujours remise à plus tard.

— Salut, les filles. Mais c'est... Mandoline ? Pendant une fraction de seconde, j'ai cru que Greta était rendue brune, dit Emmanuel en venant m'embrasser.

— Je ne sais pas où Greta est rendue, mais on dirait bien qu'elle a découché, réplique Sara.

— Tant mieux ! s'exclame Emmanuel, l'air vraiment content.

Puis il me dit :

— Ça fait longtemps...

— Depuis la polyvalente Colette.

J'omets volontairement notre rencontre au Conservatoire, le printemps dernier, alors qu'il ne m'avait pas reconnue. Pour l'instant, il est très occupé à prendre sa belle dans ses bras.

— Vous m'excuserez, mais je ne tiens plus debout, articule-t-il en bâillant.

Emmanuel nous abandonne. Sara baisse le ton pour m'expliquer :

— Comme tu as pu t'en rendre compte, ce n'est pas l'amour fou entre ma coloc et l'homme de ma vie. Ils sont allergiques l'un à l'autre.

Sara ajoute :

— Greta a toujours eu tendance à être maternante, mais depuis que je suis revenue du Yukon, avec mon gros bonheur, elle est devenue carrément jalouse et possessive.

— Maladivement, précise Emmanuel, de la chambre.

Je ne l'avoue pas à Sara, mais je pense : «Tout à l'heure, il me tapait royalement sur les nerfs, à moi aussi, ton gros bonheur d'amour.»

De toute évidence, Sara meurt d'envie de retrouver l'élu de son cœur. Elle fatigue sur sa chaise. Je me lève pour partir.

— Il n'en est pas question ! Tu dors ici.

~

Emmanuel et Sara font l'amour. Tout bas, mais je les entends. Je pense à Nicolas. À Nicolas et moi. Pourquoi je suis passée à côté d'une belle histoire d'amour ? Je suis jalouse de celle de Sara. Je suis fatiguée. Et fatiguée d'être jalouse.

Le gros Willy dort dans le fauteuil. Je vais le chercher et le couche avec moi sur le divan-lit. Je le flatte. Il ronronne à pleins moteurs.

«Tu n'as pas idée comme ça m'a fait du bien de raconter sur papier cet épisode de ma vie», a dit Sara.

« Nous avons procédé à un inventaire sérieux et courageux de nous-mêmes. » Et s'il était venu pour moi, le temps de cette quatrième étape ?

— Tu sais quoi, Willy ? J'ai vraiment besoin de ma marraine.

Soixante-quinze

Il ne manquait plus que ça ! Ma main s'agrippe à la table remplie de machins-trucs de toutes sortes : tasses écorchées, livres, lampes, pot à fleurs, sucrier, casse-têtes... Tout est à vendre.

Sonnée, je demande à la femme :

— Combien ?

— Vingt-cinq sous.

Je fouille dans ma poche en tremblant. Je tends la pièce de monnaie à la dame qui me dit :

— Donnes-y à elle.

La tête d'une petite fille surgit derrière la table. L'enfant me tend sa paume ouverte. J'hésite. Je voudrais lui demander : « Tu es certaine que tu ne le veux plus, ton toutou ? »

C'est la petite fille qui me demande :

— Tu le prends ou tu le prends pas ?

Je dépose la pièce de vingt-cinq sous dans sa main et j'emporte l'ourson.

Je traverse la ville à pied. Essoufflée, je m'arrête au petit parc. Je m'assois sur le banc. Avec l'ourson. Je capote. Ce n'est sûrement pas le même. Mais il est pareil-pareil. Je le colle contre moi. Pareil-pareil comme quand j'étais petite. Lui frotte l'oreille gauche. Ça faisait du bien dans ce temps-là.

Vue de l'extérieur, je suis une fille de vingt et un ans, assise sur le banc d'un petit parc, et je frotte l'oreille du toutou que je viens d'acheter dans une *vente de garage*.

Vue de l'intérieur, je ne sais pas quel âge j'ai. Mais j'aimerais que mon papa soit assis à côté de moi. Pour m'aider à recoudre les morceaux déchirés de mon histoire. Je lui poserais plein de questions.

— Pose-lui donc, me suggère la petite voix...

Soixante-seize

— *Papa?*
— *Oui, Mandoline?*

— *Quand je vais être grande, est-ce que j'aurai une voix de petite fille? Mais pourquoi tu ris, papa?*

— *Je ris parce que je trouve ça beau.*

— *Papa, tu réponds même pas à ma question. Quand je vais être grande, est-ce que j'aurai une voix de petite fille?*

— *Non, Mandoline. Quand tu vas être grande, tu auras une voix de grande fille.*

— *Tu es sûr?*

— *Sûr, sûr, sûr, Mandoline.*

— *Papa? Des becs et des câlins, on en a besoin pour grandir, hein?*

— *Oui, Mandoline.*

— *Oui, parce que c'est de l'amour, hein, papa?*

— *Tu as bien raison.*

— *Papa?*

— *Quoi Mandoline?*

— *J'ai un ami dans mon cœur.*

— *Comment il s'appelle?*

— *Je le sais pas. Il répond pas quand on joue au téléphone.*

— *C'est peut-être ton ange gardien.*

— *C'est quoi un ange gardien, papa?*

— *Quelqu'un qui nous protège.*

— *Est-ce que tout le monde en a un ?*

— *Il paraît que oui.*

— *Mais, papa, pourquoi je vois pas le mien ? Parce qu'il est dans mon cœur ?*

— *Si on veut.*

— *Mais s'il est dans mon cœur, pourquoi il répond pas quand on joue au téléphone ?*

— *Les anges nous répondent, Mandoline, mais pas avec des mots.*

— *C'est comme des amis imaginaires ?*

— *Si on veut. Sauf qu'ils nous protègent pour vrai. Même si on ne les voit pas. Même s'ils ne répondent pas quand on joue au téléphone.*

— *Papa, est-ce qu'il y a une table en nous, pour que l'ange gardien dépose ses choses ? Mais pourquoi tu ris ?*

— *Je ris parce que je trouve ça tellement beau ce que tu dis.*

— *Tu ris de beauté ?*

— *Oui, je ris de beauté.*

— *Eh, papa ! Mon ange gardien me donne des coups de pied dans le ventre.*

— *On appelle ça le hoquet, Mandoline.*

— *Papa ?*

— *Quoi, Mandoline ?*

— *Est-ce que ma bouche, c'est une fenêtre qui parle pour l'ange qui est en moi ? Tu pleures, papa ?*

— *Ben non, ben non.*

— *Juste un petit peu mais quand même... Tu pleures parce que tu trouves ça beau que la bouche, c'est une fenêtre qui parle ?*

— *Oh oui, je trouve ça beau, ma fille.*

— *Ça veut dire que tu pleures de beauté, d'abord ?*

— *Prends soin de toi, Petite Douceur.*

— *Pourquoi tu dis ça, papa ?*

— *Parce que je t'aime, Mandoline.*

— *Oui, mais tu te trompes. C'est les parents qui prennent soin des enfants.*

— Tiens, je t'ai apporté un nouvel ami.

— Pourquoi? Tu penses qu'il va me consoler une fois que tu seras parti? Je vais avoir un ange gardien pour me protéger et un toutou pour me consoler, mais plus de papa pour me dire je t'aime? Plus jamais-jamais? D'abord, je le veux pas, ce toutou-là. De toute façon, c'est même pas ma fête.

— Je sais, mais ça fait rien.

— C'est pas vrai, papa. Ça fait toute la différence. Y a plein de poison dans ce toutou-là, mais tu me le donnes quand même.

— Fais un beau dodo, Mandoline.

— Toi, papa, pourquoi tu n'as pas laissé ton ange gardien te protéger?

— Fais un beau dodo, Mandoline.

— Et comment je vais faire pour grandir, si tu me donnes plus de becs ni de câlins?

— Fais un beau dodo, Mandoline.

— Papa? J'ai besoin de savoir que je suis quelqu'un qui va quelque part. Mais comment je fais pour coudre les morceaux déchirés de mon histoire? Pourquoi tu réponds pas?

— Bonne nuit, ma belle petite douceur d'amour.

— Papa, maintenant je suis grande. Pourquoi j'ai une voix de petite fille? Papa? PA-PA? Pourquoi tu réponds pas quand on joue au téléphone?

— Bonne nuit, ma belle petite douceur d'amour. Prends soin de toi.

— Bonne nuit, mon petit papa d'amour. Mais papa?

— Quoi, Mandoline?

— Tu te trompes encore. C'est pas bonne nuit qu'il faut dire, c'est adieu.

Soixante-dix-sept

J e marche sur le trottoir. Je suis très troublée par ce toutou retrouvé dans la réalité et cette étrange rencontre imaginée avec mon père.

Un gros chien noir et blanc fonce sur moi, pour de vrai. Il me fait peur. Je recule.

Le chien s'assoit devant moi et dépose une balle orange à mes pieds. Un petit garçon me dit :

— Elle veut que tu joues avec elle.

Une porte s'ouvre et un adolescent crie à l'enfant :

— Alexis, mets Clyde dans la cour !

— Mais, Vincent, la grande fille veut jouer à la balle avec elle.

L'enfant se retourne vers moi :

— C'est vrai, hein ?

Je regarde la balle à mes pieds, la ramasse et la lance de toutes mes forces. La chienne va la chercher et la redépose à mes pieds. Je lui lance la balle de nouveau. Elle me la rapporte.

— Ça te fait pleurer de lancer la balle à ma chienne ? me demande le petit garçon.

Je lui réponds :

— C'est pas ça qui me fait pleurer.

— C'est quoi d'abord ?

— C'est mon toutou.

Le petit garçon hausse les sourcils, intrigué, et me dit :

— Moi, mes toutous, ils ne me font pas pleurer.

Je réplique :

— Tu es bien chanceux.

Le petit garçon me regarde droit dans les yeux, l'air de réfléchir très fort, puis s'exclame :

— J'ai une bonne idée. Aimerais-tu ça que je te donne un toutou qui fait pas pleurer ?

Très émue, je lui réponds :

— Tu es très gentil, mais je ne peux pas accepter.

— Alexis, viens manger !

Le petit garçon me prend la main et crie :

— Attends, Vincent. C'est vraiment, vraiment important. Il y a une grande fille qui pleure à cause de son toutou.

Je suis très mal à l'aise. Il y a tant de douceur dans le regard de cet enfant. Ça me fait juste pleurer plus fort.

Je dis au petit gars :

— Il faut que j'y aille.

Et je pars. Le petit garçon est très déçu. Je l'entends dire à son frère : « Moi, je voulais juste lui donner un toutou qui fait pas pleurer. »

— Alexis, où tu vas ?

— Mais, Vincent, c'est très, très important, lui répond-il.

Le petit garçon court après moi en criant :

— Attends !

J'arrête de marcher. Comme je me retourne, l'enfant fonce sur moi et me dit :

— Veux-tu un câlin, d'abord ?

Il y a tant et tant de douceur dans les yeux de cet enfant !

Bouleversée, je saisis l'offre. Je me penche et je laisse ce petit ange me donner un gros câlin, un ostifi de gros câlin. Puis je lui chuchote à l'oreille :

— Tu n'as pas idée, mon petit homme, comme tu me fais du bien.

— Oui, j'ai des idées, réplique-t-il, très sûr de lui.

Je souris en lui tendant l'ourson, puis je lui demande :

— Souffle dessus.

Le petit garçon souffle le plus fort qu'il peut.

Il n'y a plus de poison dans mon toutou.

Je colle l'ourson contre moi.

— Tu es un vrai magicien! Regarde, grâce à toi, mon toutou me fait même plus pleurer. Merci, Alexis.

— Je suis bon, hein? s'exclame l'enfant, tout fier.

Puis il ajoute, avant que j'aie le temps de lui répondre :

— J'ai même plus besoin de te donner un de mes toutous! Salut.

Je lui dis : «Salut, Alexis», mais il est déjà parti en courant. L'adolescent et la chienne, devant leur maison, veillaient sur lui.

Soudain, le petit garçon s'arrête, se retourne et me crie :

— Toi, comment tu t'appelles?

— Mandoline.

— Tu es très belle, Mandoline. Et tes joues sont chaudes comme le soleil.

Le petit ange court jusque chez lui. Et moi, je le bénis.

Soixante-dix-huit

Claire regarde la télévision dans le salon. « Il faut que tu t'excuses pour ta crise d'hier soir, et pour toutes les autres », me suggère une petite voix.

— Tu as eu deux appels, me dit Claire.

Mon cœur bondit dans sa cage.

— Sara Lemieux et ta mère.

Tiens, entre deux pilules, maman s'est souvenue qu'elle avait deux filles ?

— Après-demain, c'est l'anniversaire de ta sœur, elle aimerait que tu ailles souper.

Aude va avoir seize ans, c'est bien trop vrai !

~

J'installe l'ourson sur mon lit.

Il n'y a plus de poison dans mon toutou.

En me relevant, je me croise dans le miroir. Je suis très belle et j'ai les joues chaudes comme le soleil. Les petits garçons n'inventent pas des choses pareilles.

« Va t'excuser à Claire », me répète la petite voix. Oui-oui, je vais le faire.

Mais je rappelle d'abord Sara.

~

— J'ai un grand service à te demander, me dit Sara.

Sa tante Marie-Loup se marie samedi prochain. Emmanuel, pris à l'hôpital, comme toujours ou presque, ira la rejoindre dans la soirée seulement.

— Veux-tu m'accompagner ? Je n'ai vraiment pas envie de sécher toute seule parmi ces vieux croûtons.

Les croûtons étant les membres de la famille et les amis des vieux mariés. Je ne sais pas trop quoi penser de cette proposition.

— Dis oui, me supplie mon amie.

Si ça peut lui rendre service, pourquoi pas.

— OK, d'abord !

— Merci ! Tu es super fine.

Belle aussi. Et j'ai les joues chaudes comme le soleil.

Bon, ma mère maintenant.

Oui, j'irai aussi fêter les seize ans de ma petite sœur. Oui, je suis super fine et belle et j'ai les joues chaudes comme le soleil. Oui, je vais faire des excuses à Claire. Oui, oui, oui.

Soixante-dix-neuf

J e mets un pyjama, je fous le tee-shirt de Nicolas au lavage et je vais me brosser les dents.

— ... maintenant je dois avouer un scandale, confie une voix d'homme.

La voix répète :

— ... je dois avouer un scandale... tragique... avouer un scandale... je hais... autrui... je hais... ce qui est étranger à mon style de vie...

De toute évidence, Claire ne va vraiment pas bien pour se taper autant de négativité à répétition.

— ... je hais... mon style de vie, insiste la voix.

Je vais voir ce qui se passe. Claire écoute un vieux monsieur tout gris, dans une vieille émission en noir et blanc, et elle prend des notes :

— Nous sommes les très humbles domestiques d'une force qui nous habite, ajoute-t-il.

J'allume ! Claire est à la chasse aux pensées ! C'est la première fois que j'assiste d'aussi près à l'une de ses parties de chasse.

Elle est complètement captivée par le monologue du vieux monsieur.

— Eh oui, me revoilà, car on en n'a jamais fini de se dire au revoir. Et je ne pourrais pas partir sans vous faire mes excuses d'un striptease où j'ôte mon costume, ma peau, mon squelette pour vous montrer mon âme toute nue. C'est-à-dire une zone d'ombre où le réalisme ressemble à l'absurde rigueur du rêve, une zone d'ombre où l'intelligence, notre pire ennemie, n'exerce pas son contrôle et ne gâche pas le meilleur de nous-même.

Je vais m'asseoir à côté de Claire. L'homme ajoute :

— Mieux vaut que je vous quitte en vitesse et que j'imite, en guise d'adieu, la formule charmante de ce brave type qui disait en paraissant au tribunal divin : « Permettez-moi de vous saluer, seigneur, il y a bien longtemps que je ne vous ai jamais vu. »

Nous éclatons de rire. Le générique défile à l'écran. Claire fait reculer la bande et nous réécoutons cette formule charmante : « Permettez-moi de vous saluer, seigneur, il y a bien longtemps que je ne vous ai jamais vu. »

Nous rions comme des malades. Un beau gros rire. Qui fait du bien en ostifi.

Claire s'apprête à déposer la pensée qu'elle a notée dans son coffre à bijoux-de-mots. Je lui demande :

— Est-ce que je peux la lire avant que tu la confies au hasard ?

Et maintenant je dois avouer un scandale dans une époque éprise de tragique : il m'arrive d'être heureux. Et je vais vous confier le secret de ces crises de bonheur. Il est simple. Je hais la haine, j'aime autrui et j'aime aimer. Je m'efforce de comprendre et d'admettre ce qui est étranger à mon style de vie, le succès de mes camarades me réconforte et je m'étonne qu'on puisse en être jaloux. Jean Cocteau

Ce n'est pas ce que j'aurais choisi, mais bon.

Je fais maintenant part à Claire de ce que j'avais compris depuis la salle de bains : « Je dois avouer un scandale tragique : je hais autrui, je hais ce qui est étranger à mon style de vie. »

Claire sourit du malentendu en me présentant son coffre à bijoux-de-mots. J'y dépose la pensée.

— Je trouvais que ta peine d'amour t'avait rendue très, très négative.

— Peine d'amour... J'ai peut-être exagéré. Disons... une peine de désir d'amour. Mais quand même, sur le coup, c'est douloureux.

Depuis que je suis arrivée, Claire n'a fait aucune allusion à mon comportement déchaîné d'hier soir. La petite voix me rappelle mon amende honorable en attente. Oui, oui. Mais laisse-moi le temps.

Je demande à Claire :

— C'est qui le salaud qui t'a fait mal ?

— Un collègue de travail. Pas libre. Mais je l'ai su après avoir été baisée, et très mal, soit dit en passant.

— Je le connais ?

— Non. Tu avais quitté ton poste bien avant qu'on l'embauche, me répond-elle.

Claire a un petit sourire étrange, à présent. Et de la malice dans les yeux.

— Tu devineras jamais ce que je lui ai lancé, ce matin, et devant tout le monde.

Claire se lève. Elle prend un air de grande dame fraîche-pet et me regarde droit dans les yeux :

— Cher monsieur, quand vous me chantiez si bien la pomme, jamais je n'aurais cru que vous n'alliez m'offrir que la queue et les pépins.

— Tu lui as vraiment balancé ça devant tout le monde ?

— Oui, madame ! Et ce n'est pas tout. Il était sonné, le salaud, mais je l'ai achevé : « Vous avez pris votre pied grâce à moi. Maintenant, prenez votre trou. » Et j'ai passé une excellente journée.

Ça me fait tout drôle de voir Claire aussi pompée.

Elle ajoute :

— Un jour, quand je serai plus sage, je lui ferai amende honorable. Mais, pour l'instant, je n'en suis pas là.

« Toi, Mandoline, tu en es là », me souffle la petite voix. Je veux bien, mais Claire poursuit :

— Je pense que j'ai complètement retrouvé mon aplomb. En tout cas, je me réjouis de ne plus avoir cette petite ordure dans les pattes. De toute évidence, ce type ne me méritait pas.

« C'est le moment, non ? » insiste la petite voix. OK.

Je me racle la gorge et je dis à Claire :

— Ça, c'est sûr ! Et pour rester à peu près dans le sujet... Moi non plus, ces derniers temps, je ne te méritais pas. Je m'excuse pour tes bleus au cœur qui viennent de moi.

Claire en a perdu de grands bouts, à mon propos. Je veux la mettre à jour, mais je ne sais pas par où commencer. Commence par le bout qui dépasse !

— Claire, veux-tu redevenir ma marraine ?

Quatre-vingt

S ans hésiter une fraction de seconde, Claire me répond :
— Oui.

Puis elle me demande ce que j'ai au programme, mardi soir prochain. Depuis ma rechute, je ne suis pas retournée aux réunions des Alcooliques anonymes. Je réponds :

— Toi et moi, nous avons un rendez-vous très important, non ?

Folle-contente, je prends la main de ma marraine, l'entraîne jusqu'à ma chambre et lui dis :

— Regarde.

Je lui montre mon ourson, puis l'empreinte de la corneille à ma fenêtre. Je l'invite ensuite à s'asseoir sur mon lit.

« Nous avons procédé à un inventaire sérieux et courageux de nous-mêmes. »

Je lui raconte tout : le petit ange et le toutou, mon papa, Nicolas et sa gazelle, la revue *Savoir et Être,* le corbeau, la corneille...

~

Il est tard. Claire me borde et m'embrasse sur le front. Cette tendresse, revenue du fond du cœur, je la savoure.

— Je ne sais pas si ça se dit, Claire, mais merci-tellement !

— On s'en fout que ça se dise ou pas ! Moi, je comprends, et je le prends, réplique-t-elle.

Elle est sur le point de me quitter. Je l'interpelle :

— Claire, pour l'instant, il n'y a pas beaucoup de choses que je peux promettre. Mais il y en a au moins une : les Promesses que j'ai déchirées, je vais les remettre à leur place.

— C'est plus qu'une promesse. Tout un programme, en fait ! Merci, et bonne nuit, me dit-elle.

J'éteins.

Il n'y a plus de poison dans mon toutou. Je suis grande maintenant. Mais je lui frotte l'oreille quand même !

L'école recommence demain. Est-ce que j'ai décidé d'y retourner ?

Quatre-vingt-un

— Je suis très content de te revoir, Mandoline.
— Moi aussi, je suis contente de vous revoir, monsieur Mouawad.

Pour ceux et celles qui l'avaient comme prof, l'an dernier, c'est un rappel. Pour les autres, c'est un premier avis sans appel : si nous ne sommes ici que pour une note qui nous permettra d'obtenir un diplôme qui nous permettra d'obtenir un emploi qui nous permettra de dépenser sans compter ni réfléchir… autant sacrer notre camp tout de suite.

Quatre-vingt-deux

S ophie me remet mon premier chèque de paye.
— À l'avenir, il pourra être déposé directement dans ton compte en banque, si tu le désires.

— Non merci.

Pour l'instant, ça me fait du bien de voir et de toucher ce bout de papier. Même si cette première paye est minuscule et déjà toute dépensée. Je dois beaucoup de sous à Claire : loyers en retard et argent volé pour acheter de la fausse potion magique ; cette poudre qu'il ne faut pas que je touche parce qu'elle me tuera... Ça me prendra plusieurs chèques comme celui-là pour rembourser toutes mes dettes.

— Sophie, est-ce que je peux l'encaisser ?

— Ce n'est pas une habitude à prendre, mais pour ce soir, ça va, me répond-elle.

Je la remercie et je quitte le club vidéo, les poches pleines de comptant et le cœur rempli de fierté.

En passant devant la librairie fermée, je me rappelle que j'ai un livre à payer.

Quatre-vingt-trois

J e dépose l'argent sur ma coiffeuse.

À nous deux, maintenant. J'ouvre le tiroir, prends le sachet de poudre.

« Jette-la », murmure la petite voix.

Pas capable, ostifi !

Dans le miroir, j'aperçois la fille avec son poison dans la main. Je lui crie dans ma tête : « Réveille-toi, imbécile ! »

Mais je suis réveillée ! Je suis un chasseur qui pose un piège, en sachant très bien que je suis aussi la proie. C'est justement parce que je me rends compte du danger que ce passage obligé de lucidité est si effrayant à traverser.

« Comment tu traiterais une membre A.A. dans la même situation que toi ? » me demande la petite voix.

J'essaierais de ne pas la juger, de ne pas la condamner. Je chercherais en moi la douceur aimante pour l'accueillir. Inconditionnellement.

« Alors ? » ajoute la petite voix.

Alors je plonge mon regard dans le blanc des yeux de la fille-du-miroir. Même si je trouve ça gênant, je lui dis très gentiment :

— Il te reste du chemin à faire, mais tu n'es pas une imbécile, OK ? Un jour, tu n'auras plus besoin de ce filet de sécurité qui n'en est pas un. Je te le promets.

Cette bouffée de tendresse qui a surgi de moi me secoue. J'ai le cœur gros parce qu'il est gonflé d'une joie qu'il ne connaissait pas. La fille, dans le miroir, a les yeux pleins d'eau.

Je range le poison dans le tiroir. Ce soir, encore, je n'en prendrai pas.

Quatre-vingt-quatre

En me rendant chez ma mère, je fais un saut à la librairie.
— Bonjour, Brigitte.

La libraire se tourne vers moi et me sourit.

— Mandoline !

— Je suis venue régler mes comptes.

C'est donc bien agréable de payer ses dettes ! Petit bonheur, mais bonheur quand même !

Brigitte s'informe de ma lecture. Je lui fais part avec plaisir et fougue de ma critique de cet essai que j'ai lu à crédit : livre troublant, chamboulant, intrigant, dérangeant.

— J'ai eu la même réaction, me dit Brigitte.

— Merci beaucoup pour la confiance et le crédit.

La libraire s'approche pour me chuchoter à l'oreille :

— La force de notre fraternité ne s'exerce pas qu'entre les murs de nos réunions.

Est-ce pourquoi je me permets de lui confier :

— Je suis contente de parler à une membre A.A. avant d'aller dans ma folle famille.

Un client se dirige vers la caisse. Avant de s'occuper de lui, Brigitte pose sa main sur mon épaule. Son sourire et son regard m'en disent très long : « Je te comprends. Moi aussi, ma famille est folle... »

Nos confidences A.A. s'arrêtent là. Mais ce bref échange renforce mon courage pour affronter cette chère névrose familiale.

Quatre-vingt-cinq

À la seconde où je mets les pieds dans cet appartement, j'ai envie de vider mon sac. Une grosse poche remplie de colère, de tristesse et de déception. À propos de ma mère et de Bob Leroux. Mais ce n'est pas le bon moment.

— Coudonc, toi, étais-tu repartie sur la *go*, cet été ? J'ai ben essayé de savoir, mais ta Claire a jamais rien voulu me dire.

Maman pose des questions, mais ne laisse pas d'espace pour les réponses.

Je glisse tout de même :

— Si on veut.

— Là, consommes-tu encore ?

Je marmonne :

— Non.

Quand est-ce qu'on le sait, si c'est le bon moment ? Ici, ça ne l'a jamais été, pas vrai, maman ? Ici, on expédie. Allez hop ! Des petits becs en passant. Qui ne touchent pas la peau. Allez hop ! Bonne fête, Aude. Comme tu as l'air parfaite, encore aujourd'hui.

On passe à table et aux cadeaux. En offrant mon paquet à Aude, je me sens nerveuse tout à coup. Encore plus maintenant qu'elle le déballe.

— Pourquoi tu me donnes ça ? me demande ma sœur.

Déçue ? Intriguée ? Croyant que c'est une blague ? Impossible de déchiffrer.

— Tu ne l'avais pas vendu, ce toutou-là ? s'exclame ma mère.

Ostifi! Elle se souvient de mon ourson? Elle, si déconnectée de tout, sauf de ses pilules, des histoires à l'eau de rose et des hommes de passage dans sa vie.

Ça m'en bouche un coin.

Ébranlée, j'explique à ma sœur :

— J'en avais un pareil, quand on était petites. Je l'ai vendu et je m'en suis toujours voulu de ne pas te l'avoir donné.

Je ne précise pas que c'est le cadeau que notre père m'a fait juste avant de nous quitter. Parce qu'il ne lui a rien offert, à elle. Je ne dis pas non plus que j'ai revu notre père. Un jour, peut-être.

C'est une façon de me racheter. Est-ce que la vie nous offre toujours une deuxième chance?

Aude n'a pas l'air touchée pour autant. Elle a seize ans. Qu'est-ce qu'elle en a à cirer d'un ours en peluche, abîmé en plus? Et elle n'a aucun souvenir de la disparition de mon ourson. Moi, oui :

— Toutou ousse pati? Poûquoi? Pati où, l'ouss? Man-ôline? Pati où, l'ouss?

Si tu savais, petite sœur, tout le chemin qu'il a parcouru, cet ourson, pour venir jusqu'à toi, et tout le chemin qu'il m'a fait faire à moi. Peut-être qu'un jour je te dirai tout.

Ma mère lance à ma sœur :

— Tu l'as tellement pleuré, ce toutou-là, ma cocotte! Eh que c'était pas drôle! Tu t'en rappelles pas pantoute?

Rien à faire : cet ours en peluche n'a aucune signification pour Aude.

— Ah bon! Merci, me dit-elle en renvoyant le toutou dans sa boîte.

Quatre-vingt-six

A ude nous a dit qu'elle allait se coucher, mais il y a de la lumière dans sa chambre. Je m'apprête à partir. J'échappe, dans l'oreille de ma mère, des mots que je n'ai pas vus venir :

— Maman, je ne t'avais pas menti, sur le bateau.

Ma mère détourne le regard.

— Tu me fais penser ! s'écrie-t-elle en se frappant le front.

Ma mère détourne la conversation. Et elle se met à courir dans le corridor en criant : « Un peu plus et j'oubliais. »

Ma mère détourne l'émotion. Elle s'enfuit.

Puis elle revient près de la porte, essoufflée, et me dit, en me tendant un petit paquet :

— Toi, tu ne l'as pas eu ton cadeau de fête. Je t'ai appelée pour t'inviter, je t'ai laissé un message, mais tu ne m'as pas...

— Je sais, m'man.

Ma mère se dandine. Elle a l'air d'une fillette impatiente. Je déballe son cadeau. J'ouvre l'écrin. Son alliance de mariage.

— Ça fait longtemps que je me dis que ça n'a plus sa place dans ma vie. Mais je me suis dit que toi... En tout cas, je suis contente que tu sois venue, ma fille. Ta sœur aussi, est bien contente, hein, Aude ? Aude est partie se coucher, c'est vrai.

Papa m'a donné une phrase et maman m'offre cette alliance qui l'unissait à lui.

Quel merveilleux cadeau ! J'enfile la bague. Elle me fait.

Et elle a dit : « Ma fille. »

— Merci, maman.

« Ah mon Dieu ! Tu me fais penser ! » qu'elle a dit, ma mère, quand je lui ai parlé du bateau. Et si c'était vrai que c'est ce qui lui a fait penser au bijou ? C'est ce que Robert-Pierre m'avait offert, lui aussi, un beau bijou. Pas une bague, une chaîne aux pieds !

— Maman ? Un jour, est-ce qu'on pourra reparler de ce qui s'est passé sur le bateau ?

— Ma fille, ça m'intéresse pas pantoute de brasser des vieilles affaires qui font mal.

Mais ces vieilles affaires-là font partie de moi ! Je me sens pomper par en dedans.

« Ta mère s'entrouvre, ne lui rentre pas dedans », me souffle une petite voix. « Elle n'a pas changé de sujet. Elle t'a répondu. Pas ce que tu voulais entendre, mais elle t'a répondu. »

Elle m'a répondu, c'est vrai. Je m'approche un peu, juste un peu, et pose ma main sur son bras.

— Maman, si on la tire au clair, cette vieille histoire qui fait mal, on n'en mourra pas !

Elle réplique :

— C'est encore drôle !

Et elle fait semblant que son bras lui pique. Elle fait comme si je ne me rendais pas compte qu'elle reculait un peu, juste un peu.

Ici, c'est tellement difficile de ne pas faire comme si.

Maman ajoute :

— Tout ce que je peux te dire, ma fille, c'est que j'ai jamais pensé que t'étais une menteuse.

Je dois m'appuyer au cadre de porte. Ma mère vient de prononcer des mots inattendus très puissants.

— Là, je suis fatiguée. Bonne nuit, Mandoline.

Je m'approche. Je voudrais la serrer dans mes bras, comme je le fais aux membres A.A., mais elle ne le supporte pas.

— Bonne nuit, maman.

Je pars, très émue par les cadeaux surprenants qu'elle m'a offerts : cette alliance et ces bribes de confidences.

Quatre-vingt-sept

— Mandoline?

Je m'arrête en plein élan, entre la dernière marche de l'escalier et le trottoir. Je me retourne. Dans le cadre de porte, Aude chuchote :

— Je ne dormais pas, tu sais.

Je m'apprête à remonter. Aude se dépêche de refermer la porte. Mais juste avant, elle ajoute : « Sur le bateau. »

Une phrase. Ma petite sœur m'a donné une phrase, elle aussi. Juste une toute petite phrase. Aude est bien la fille de son père. Mais elle ne le sait pas.

Ce que ma petite sœur m'a vraiment dit, c'est : « Je ne dormais pas tu sais, dans la cabine, sur le bateau, quand Bob Leroux t'a violée. »

J'arrive sur le trottoir, toute chamboulée par l'aveu d'Aude. Je jette un dernier regard à l'immeuble où vivent ma mère et ma sœur.

Je suis venue en métro. Je rentre à pied.

Quatre-vingt-huit

V ue de l'extérieur, je suis une grande fille qui vient d'aller souper chez sa mère. Cette grande fille a offert un toutou abîmé à sa petite sœur de seize ans, puis elle a reçu, pour ses vingt et un ans, l'alliance de mariage de sa mère.

Vue de l'intérieur, je suis une grande fille qui doit recoudre ces morceaux de son histoire. J'entre dans cet espace qui n'est ni le rêve ni la réalité. Le temps se morcelle. Ce n'est pas la vérité. Ce n'est pas un mensonge non plus. Je ne sais pas ce que c'est, au juste. Mais ce jeu, on dirait qu'il me permet de réparer en moi quelque chose qui ne peut pas l'être dehors. Dehors, c'est trop tard, mais pas ici.

Mon papa est parti. Je l'ai beaucoup pleuré et il n'est pas revenu. Je ne pleure plus du tout et je vends mon toutou.

Ma mère s'est endormie. Ma petite sœur et moi aussi. Trois belles-au-bois-dormant-leur-vie.

Aude pleure mon toutou :

— Toutou ousse pati? Poûquoi? Pati où, l'ouss?

J'essaie de la consoler :

— Inquiète-toi pas, Aude. Le toutou est parti en voyage, mais il va revenir.

— Poûquoi pati, ousse?

— Il y avait du poison dans le toutou, Aude. C'est pour ça qu'il est parti. Il est allé chercher une formule magique pour faire disparaître le poison. Aussitôt qu'il va l'avoir trouvée, il va revenir. Je te le promets.

C'est l'anniversaire de ma petite sœur.

— *Bonne fête, Aude! Regarde qui est revenu? Je t'avais promis qu'il reviendrait! Maman l'a dit, je ne suis pas une menteuse.*

— *Toutou ousse, revenu? Poûquoi?*

— *Tu n'es pas contente, Aude?*

— *Oui, Aude contente. Mais poûquoi revenu maintenant?*

— *Parce qu'il a mis beaucoup de temps à trouver la formule magique. Veux-tu connaître cette formule?*

— *Oui. Aude veut formule.*

— *Prends soin de toi, petite sœur, même si papa n'a pas eu le temps de t'appeler Petite Douceur. Et regarde, Aude, ce que le toutou t'a apporté?*

— *C'est quoi?*

— *Une aiguille et du fil d'or.*

— *Poûquoi faire?*

— *Pour que tu puisses recoudre, toi aussi, les morceaux déchirés de ton histoire.*

Ma petite sœur me dit :

— *Je ne dormais pas tu sais, dans la cabine, sur le bateau, quand Bob Leroux te faisait bobo.*

Puis elle me demande, inquiète :

— *Est-ce qu'il y a du fil et une aiguille pour maman aussi?*

— *Oui, Aude. Le toutou nous en a toutes apporté. Viens, on va aller voir maman.*

Notre mère dort. Ma petite sœur et moi, on s'assoit sur son lit. Aude berce son toutou. Je secoue maman. Elle marmonne :

— *Mandoline, pourquoi tu me réveilles?*

Je lui prends la main et lui dis :

— *C'est très important, maman. Pourquoi tu as laissé Bob Leroux me faire mal sur le bateau?*

Agacée, elle me répond :

— *Les affaires qui font mal, tu le sais, ça m'intéresse pas.*

Je réplique :

— *Tu veux dire : les cauchemars qui font mal?*

— *Appelle ça comme tu veux, ma fille.*

Je reviens à la charge :

— *Les cauchemars avec un corbeau dedans ?*

— *Si tu veux.*

— *Un corbeau qui mange les yeux, maman ?*

— *J'ai jamais pensé que tu étais une menteuse, réplique-t-elle.*

— *Ça ne m'enlève pas toute ma peine, mais ça me soulage beaucoup de savoir que tu me crois, maman. Maman ?*

— *Quoi, Mandoline ?*

— *Avant, le corbeau me mangeait les yeux, à moi aussi. Réveille-toi, maman ! On s'est trompées. C'était même pas un corbeau mais une corneille ! Et tu sais ce qu'elle a fait ?*

— *Non, ma fille, je ne sais pas.*

— *Elle a semé un tournesol. Tu sais pourquoi ?*

— *Non, ma fille, je ne sais pas pourquoi.*

— *Pour pouvoir manger les graines, pas nos yeux ! Et pour semer d'autres tournesols. Réveille, maman !*

Maman veut se recoucher. Je l'en empêche :

— *Maman, est-ce que tu sais pourquoi ma petite sœur plus-que-parfaite suce encore son pouce, à seize ans ?*

— *Non, je ne sais pas.*

— *Elle ne dormait pas, dans la cabine sur le bateau quand Bob Leroux me faisait bobo. Entends-tu, maman ?*

Maintenant, je regarde ma mère et ma sœur droit dans les yeux, et je leur dis :

— *Mais qu'est-ce qu'on attend pour grandir ? Voulez-vous bien me le dire ? Est-ce qu'on a peur que la maudite souffrance s'arrête ? Parce que c'est ça qui risque d'arriver, une fois qu'on aura traversé tous les Ponts-La-Peur, non ?*

Je reprends mon souffle et j'ajoute :

— *Faut prendre soin de nous, sinon, on pourra jamais se faire des câlins avec de l'amour-pour-de-vrai dedans. Et de l'amour-pour-de-vrai, on en a besoin, pour grandir.*

Je les embrasse toutes les deux. Je leur fais un câlin à toutes les deux.

— Prends soin de toi, petite sœur. Prends soin de toi, petite maman.

~

Vue de l'extérieur, la grande fille tourne la clef dans la serrure, ouvre la porte et rentre chez elle. « Toi aussi, prends soin de toi, Mandoline », me souffle la petite voix.

Je lui réponds :

— Oui, ostifi !

Quatre-vingt-neuf

S e dévoiler les secrets qu'on s'était cachés parce qu'on avait peur qu'ils nous tuent. Ressentir les émotions cachées dans les secrets... À jeun.

À nous deux, maintenant. J'ouvre le tiroir de ma coiffeuse, prends le sachet de poudre et marche, vite, très vite, jusqu'à la salle de bains. J'ouvre la petite enveloppe de plastique. J'ai des frissons. Pas seulement des frissons. Le vertige.

Je penche le sachet au-dessus de la cuve, le secoue, regarde la poudre tomber. Toute.

J'actionne la chasse.

« Je suis très fière de toi », me dit la petite voix.

~

Claire dort. Je lui emprunte son bloc-notes et sa plume à l'encre violette. J'écris :

J'ai travaillé longtemps pour l'autodestruction. Aujourd'hui, je lui donne ma démission. Mandoline

~

Je dépose la pensée de mon cru dans le coffre à bijoux-de-mots de Claire. Et je vais me coucher.

Sans toutou.

Il n'y a même plus de poudre au cas où.

Quatre-vingt-dix

Ma mère m'a laissé un message sur le répondeur :
— Tu sais comment est ta sœur, hein ? Tellement fière et orgueilleuse. En tout cas... Elle te le dira peut-être pas, mais moi, je voulais que tu le saches : Aude a dormi avec le toutou que tu lui as donné. Le pire, c'est qu'elle a pas voulu que j'y couse l'oreille ! En tout cas. Bye ! C'est ta mère.

C'est fou comme ces paroles de maman me touchent.

— C'est parce qu'il y a un câlin dedans, me chuchote la petite voix.

Mais a-t-il vraiment l'oreille *lousse*, ce toutou ? Maman confond peut-être avec celui de nos souvenirs. Ou bien ces oursons avaient tous le même défaut de fabrication. Ou bien ce toutou, acheté dans une *vente de garage*, est celui que mon père m'avait donné. Je ne le saurai jamais. Je sais, il ne faut jamais dire jamais. Mais bon.

Quatre-vingt-onze

Maman,
Je te demande pardon. Je ne pouvais pas comprendre
que tu ne pouvais pas me donner ce que j'attendais de toi.
Je calculais selon mon budget. Je jugeais d'après ma liste d'épicerie.
La voici :

- *amour*
- *patience*
- *attention*
- *compréhension*
- *protection*
- *tendresse*
- *écoute*
- *joie*
- *disponibilité*
- *franchise*
- *respect*

Je ne pouvais pas savoir que tu me donnais selon tes moyens. Pour
moi, ce n'était pas suffisant, alors c'était comme si ce n'était rien.
Merci pour
- *le souper*
- *l'alliance*
- *Les souvenirs*
- *Les petits morceaux de confidences*
- *La réponse à ma question*

Je n'enverrai pas cette liste de manques à ma mère. Mais ça m'a fait un bien fou de l'écrire. Peut-être qu'un jour, quand je serai plus sage, je lui offrirai tous les mercis.

Quatre-vingt-douze

Marie-Loup et Octave, les vieux futurs mariés, accueillent leurs invités sur le perron de l'église. La cérémonie aura lieu dans le chœur.

— Tu connais ma tante, il faut toujours que ce soit original, me glisse Sara.

O-S-T-I-F-I- !

L'apparition me fait chanceler.

— Je t'en devais une, murmure Sara en me souriant très, très grand, alors que moi, je lui serre très, très fort le bras.

Je ne comprends pas. Je ne comprends rien de rien de rien. Pantoute-pas-du-tout. De toute évidence, lui non plus.

Je me répète : « Ce n'est pas parce qu'une chose nous dépasse que la vie n'avance pas. » Sara ajoute, mine de rien :

— Nicolas, je te présente Mandoline. L'hôpital tient l'homme de ma vie en otage et ma grande amie a eu la gentillesse de m'accompagner.

Nicolas reste figé sur place, l'air catastrophé. Catastrophé... ou fâché ?

Nos bonjours sont maladroits.

Toujours mine de rien, Sara m'entraîne maintenant par la main pour me présenter aux vieux croûtons. Je me sens ballottée. Comme une feuille par un vent violent.

— Le monde est petit, pas vrai ? me lance-t-elle, toujours en chuchotant, très fière de la commotion qu'elle vient de causer.

Je réplique :

— Petit ou manipulé ?

— Mais les deux ! me répond-elle.

～

— Mandoline, je te présente Maruska, me dit Sara.

L'infirmière aux yeux mauves qui avait cru à son voyage dans la lumière blanche lorsqu'elle avait été hospitalisée, et grande amie de la mariée.

Comme vieux croûton, on a déjà vu pire. Maruska et moi échangeons une poignée de main. La mienne est molle et moite.

Pas du tout remise du choc, je bougonne :

— Tu veux bien m'expliquer, Sara Lemieux ?

— Presque simple comme bonjour. Mais je te jure que j'ai eu toutes les misères du monde à tenir ma langue quand tu étais chez moi, l'autre soir. Comme coup d'éclat, avoue que c'est réussi ? me répond-elle.

Sara a tout de suite fait le rapprochement entre « mon » journaliste Nicolas Chevalier et le fils de María-Magdalena, la grande amie de Marie-Loup. Mais elle voulait s'en assurer. Vérifier, aussi, si le Nicolas-beau-comme-un-cœur en question viendrait au mariage accompagné ou non.

Mais dans son plan de marieuse, Sara a négligé un détail important : Nicolas m'a dit clairement qu'il ne voulait plus rien savoir des salopes comme Léa et moi. Il n'a pas dit « salopes », mais c'était tout comme. Sara baisse le ton de plusieurs crans et poursuit :

— En passant, j'ai lu le portrait de Flora. Cela n'a fait que renforcer mon désir de donner un petit coup de pouce au destin.

Déclic soudain : la tante Loulou de Nicolas et la Marie-Loup de Sara = une seule et même personne. L'une des trois sorcières dans la vie de Nicolas. Quand il m'avait montré les photos de sa famille, je pouvais bien trouver que sa tante Loulou me rappelait quelqu'un, mais je ne savais plus qui !

Sara continue de me trimballer parmi les invités. Je me surprends à chercher Nicolas des yeux. Non, j'arrête.

Sara s'immobilise devant une femme très élégante et belle comme tout. Pas du tout l'air d'un vieux croûton, elle non plus.

— María-Magdalena, je te présente Mandoline, une très grande amie à moi. Mandoline, María-Magdalena, une très grande amie de Marie-Loup.

— Enchantée, Mandoline, me dit cette autre sorcière en me tendant la main.

Je fais un effort suprême pour ne pas bégayer :

— Moi aussi.

La mère de Nicolas est en train de me sourire. Mais je n'ai pas d'affaire ici. Ostifi d'ostifi que je capote !

Sara reprend ma main. J'ai rencontré les trois sorcières de Nicolas, Maruska faisant partie du trio. Pour que le portrait de famille soit complet, il ne manque que Mado, l'avocate du diable, et Luce, sa fille. Luce, la presque-sœur de Nicolas que María-Magdalena a aimé plus encore que son fils.

Sara nous dirige vers un fauteuil roulant mais nous devons rebrousser chemin ; les futurs mariés nous invitent à entrer dans l'église. Un homme passe à côté de nous en nous saluant d'un sourire. Son visage ne m'est pas inconnu. Je demande à Sara :

— Qui c'est ?

— Le chanteur Jean-Pierre Ferland, un bon ami d'Octave.

J'ai perdu Nicolas de vue. Mais dans ma tête, il occupe tout l'espace.

Quatre-vingt-treize

Les mariés s'avancent. Marie-Loup, l'air très émue, nous annonce :

— J'ai bien peu de mérite d'aimer Octave. C'est l'une des choses les plus faciles qui me soient arrivées dans ma vie. C'est facile, parce qu'il est pacifique et intelligent, généreux et respectueux, doux et intense, drôle et intègre. Parce qu'il m'apaise dans les moments où je pourrais facilement monter sur mes grands chevaux ou grimper dans les rideaux. Parce qu'il sait quand il est l'heure de se taire et quand il est l'heure de parler. Parce qu'il sait marquer son territoire sans empiéter sur mon espace vital. Parce que j'ai pu, avec lui, laisser tomber mes défenses en toute sécurité.

« Laisser tomber mes défenses. » Ces paroles cognent sur mon cœur. Si fort que je n'entends plus rien. Que ce martèlement intérieur et l'écho qui se répercute. Et c'est plus fort que moi, je regarde Nicolas. Il boit chaque parole de la mariée qui n'en finit plus d'étaler son bonheur :

— ... Je l'aime parce qu'il stimule et favorise le meilleur de moi, qu'il en profite mais n'en abuse pas.

Sara a de qui tenir ! Et la tante me fait le même effet : si Marie-Loup continue, je lui saute dessus ! Je sais bien que ce n'est pas une machination contre moi ! Mais le résultat est le même. On dirait que la tante et la nièce se sont donné le mandat de m'écœurer avec leur gros bonheur. Et moi, j'en ai ras le pompon de me farcir des mots d'amour à n'en plus finir, dans un mariage où je ne suis pas la bienvenue. Je veux sacrer mon camp !

— ... Tu le sais, Octave, comme je suis heureuse d'être devenue ta sorcière bien-aimée. Mais je t'avertis : c'est pour le meilleur, pas pour le pire, qu'on se marie. Ce n'est pas une menace mais une promesse. Je t'aime, Octave, mon magicien bien-aimé, mon amour, mon ami, conclut la mariée avant de crouler sous les applaudissements.

Et celui qui ne sera jamais une douce moitié mais un compagnon entier à ses côtés d'ajouter :

— Marie-Loup, sorcière bien-aimée de mon âme, je te donne ma main, mon cœur est dedans et il est pour toi...

$$\sim$$

À la sortie de l'église, Sara me balance :

— Il n'a pas cessé de te manger des yeux !

Je chuchote, mais c'est un chuchotement qui a l'intensité d'un hurlement :

— Es-tu complètement malade ?

— C'était chacun votre tour. Comme une partie de ping-pong, réplique-t-elle.

Qui est la paranoïaque, Sara ou moi ?

« Sauve-toi pas », me souffle la petite voix.

Quatre-vingt-quatorze

On nous offre du champagne. Non merci. Mais est-ce que je pourrais avoir de l'eau? On a l'air fou, les mains vides, quand tout le monde trinque.

Je lève un verre imaginaire à la santé des nouveaux mariés. Une main en l'air, je croise le regard de Nicolas.

~

Nicolas et sa mère sont assis à la même table que nous. Es-tu toujours dans le coup, Sara Lemieux?

Nos regards s'évitent.

S'évitent, se cherchent, se trouvent, s'en veulent, se sauvent.

Petit manège insoutenable.

La joie de me revoir ne s'est toujours pas pointée dans les yeux de Nicolas.

Rien n'empêche que... J'ai une envie folle de frôler son bras en feignant d'avoir besoin du sel. Et je passe à l'action. Le voyage de ma main, à la recherche de la salière, se transforme en expédition périlleuse. Peut-on se douter qu'un geste aussi banal soit chargé d'autant de désir? Mon désir de Nicolas. Et je guette l'effet du frôlement de mes doigts sur son avant-bras. Me lis-tu, Nicolas? Comprends-tu?

On m'offre à boire. Du vin. Je vous remercie, je ne bois pas. D'alcool, je veux dire. Est-ce que je pourrais avoir de l'eau, s'il vous plaît?

Un digestif ? Non, merci. Non merci. Ça suffit ! J'ai dit non, ostifi ! María-Magdalena a été témoin de mon soupir d'exaspération.

Je quitte la table, vais dehors prendre l'air et faire quelques pas.

Je devrais rentrer chez moi.

Je retourne à la réception. Presque calme. « Presque » est un bien grand mot. Objectif : tirer ma révérence.

Quatre-vingt-quinze

Comme j'arrive dans la salle, Jean-Pierre Ferland s'empare d'un micro en regardant les mariés avec une grande tendresse.

— Une chance que *le Bon Dieu qui fait l'Irlande et la Bosnie, quand il s'excuse, il fait des amoureux.* Pour toi, Marie-Loup. Pour toi, Octave, dit-il, avant de commencer à chanter :

Écoute pas ça
Tu vas brailler...

Je n'ose pas déambuler en pareil moment, alors je m'adosse au mur, près de la porte. Les nouveaux mariés ouvrent le bal et font signe aux invités de les suivre.

Le prince-plus-que-charmant de Sara s'est amené juste à temps pour tendre la main à sa belle qui se lève avec bonheur. Son gros bonheur fatigant.

— Accepteriez-vous de m'accorder cette danse ?

C'est Nicolas qui a parlé.

À moi.

J' te jure que ça sent pas le pot
J'te jure que j'ai pas bu non plus
Et pourtant je suis soûl mort

Accorder une danse. Il n'y a pas si longtemps, on me faisait signe, on sortait un dix et on me tripotait.

Ta crème de jour
Ton huile de corps
Ton fard à joue
Me soûlent à mort

Me voici au milieu d'un rêve. Un beau rêve qui crierait : « Encore ! » si je ne l'obligeais pas à se taire.

Nicolas se penche et me chuchote :

— C'est joli, tes cheveux plus longs.

Les frissons me cernent et m'envahissent.

J'aimerais ça qu'on s'marie
J'te demande en mariage
Les mains dans l'visage
Les anges à l'église
J'aimerais ça qu'on s'marie
Écoute pas c'que j'te dis

Non, je n'écoute plus ! Je ne suis plus capable. Mais Jean-Pierre Ferland en rajoute :

J'aimerais ça qu'tu dises oui.

Je pars en courant.

« Ta gueule ! » que je crie très fort dans ma tête au chanteur. Et je vais me cacher dehors, parmi les fumeurs.

J'ai juste le goût de pleurer.

— Il l'avait dit, non ?

Ostifi que j'ai eu peur ! Nicolas me regarde et ajoute :

— Il avait dit : « Écoute pas ça, tu vas brailler ».

Je ne suis plus capable de me retenir.

Je me sauve aux toilettes.

Quatre-vingt-seize

Il-faut-que-je-déguerpisse-d'ici-au-plus-sacrant ! Là, c'est vrai. Je retourne saluer tout le monde à la va-vite. María-Magdalena me serre la main et me dit :

— À très bientôt, j'espère.

Je cours en direction de l'entrée. La porte s'ouvre comme je m'apprêtais à la franchir.

— Tu en as mis du temps, me dit Nicolas.

Il était resté dehors. Je lui annonce mon départ.

— Est-ce que tu veux que je te raccompagne ? me demande-t-il.

— Non merci. Je suis en voiture.

— Je le sais. Veux-tu me raccompagner, alors ?

Quatre-vingt-dix-sept

Nous arrivons devant chez lui. Je gare la voiture. Nicolas me balance :

— Autant te le dire tout de suite : je n'étais pas sûr de vouloir te revoir.

Un coup de masse avec ça?

Il ajoute :

— Je n'étais pas sûr, non plus, de ne pas vouloir te revoir. Mais je suis très heureux que la vie t'ait remise sur ma route.

Je riposte :

— La vie, la vie, il ne faut pas charrier ! Il y a beaucoup de Sara Lemieux derrière tout ça !

Nicolas fronce les sourcils. Évidemment ! Il lui manque une pièce importante du casse-tête.

— Hasard organisé, je te dis.

Et je lui donne le morceau. Enfin, pas tout le morceau, juste ce qu'il faut : le lien entre le fils de l'amie de sa tante et le journaliste à qui j'ai accordé une entrevue.

Il sourit avant de répliquer :

— Rien n'empêche que la vie m'a répondu. Peu importe que ça soit passé par Sara Lemieux. Ça me fait penser : tu sais ce que j'ai relu après t'avoir revue au parc ?

Je m'en doute beaucoup, même.

— *Et si le destin nous embrassait par hasard ?*

— Presque. Mais pas tout à fait, me dit Nicolas en éclatant de rire.

— Je ne comprends pas pourquoi tu as dit «Presque». Et pourquoi tu ris?

Nicolas reprend son souffle :

— Tu as dit : «Et si le destin nous embrassait par hasard?»

Je réplique :

— J'ai dit «nous faisait signe».

— Non, «nous embrassait».

Ostifi que tu es beau, Nicolas! Et tu sens tellement bon! Ça fait battre mon cœur trop vite. Et trop fort. Je ne sais pas quoi faire de cette douceur qui est revenue dans tes beaux grands yeux. De cette lumière aussi.

Est-ce que j'ai vraiment dit : «Et si le destin nous embrassait»?

Nicolas promène la douceur et la lumière de son regard sur mon visage, s'attarde sur ma bouche. Ma salive commence à mal circuler dans ma gorge. Mon cœur va réussir à écarter les barreaux de sa cage si ce regard s'attarde une seconde de plus sur moi. Ma bouche se plaque contre celle de Nicolas. Tout d'un coup. Je ne l'ai pas vue partir. Mes mains s'emparent de la crinière noire, mes doigts se perdent dans les boucles, s'enroulent, s'agrippent. Les mains de Nicolas s'engouffrent, elles aussi, dans mes cheveux. Nos bouches s'impatientent, échappent de petits bruits joyeux. Le bonheur gourmand grogne, ronronne.

Je glisse dans un plaisir infiniment partagé.

~

Je reviens de loin, chamboulée, à bout de souffle.

«Sauve-toi pas», me souffle la petite voix.

Je ne me sauve pas. Mais trop de bonheur à la fois, c'est dangereux pour une fille comme moi : j'ai soif.

— Sauve-toi, Nicolas!

— C'est ce que tu veux?

Pour le moment.

Je lui fais signe que oui. Il m'enveloppe d'un regard très doux, me remercie, ouvre la portière et s'en va.

Merci pourquoi ? Pour l'avoir raccompagné ? Pour lui avoir sauté dessus ?

J'ai perdu pied et je suis tombée dans un baiser.

« Tu te trompes, Mandoline : tu n'as rien perdu et tu n'es pas tombée. »

Nicolas n'était pas sûr de vouloir me revoir. Moi, j'ai été on ne peut plus claire : mon désir a parlé très fort. Alors maintenant la balle est dans son camp.

Quatre-vingt-dix-huit

J e m'élance sur le frigo, m'apprête à ouvrir la porte.

J'ai travaillé longtemps pour l'autodestruction. Aujourd'hui, je lui donne ma démission. Mandoline

Claire a pigé ma pensée et l'a placée à côté de sa devise : *L'inquiétude est un luxe au-dessus de mes moyens.* Son geste me touche beaucoup.

Je cale un grand verre de jus d'orange. Et deux verres d'eau.

« Sauve-toi pas », me répète la petite voix.

Quatre-vingt-dix-neuf

Hier, Nicolas ne m'a pas appelée ni écrit. Ça fait deux jours que la balle est dans son camp.

Je me branche sur Internet. Pas de nouvelles de lui, encore aujourd'hui, mais Jennifer m'a écrit :

J'essaie de tenir le coup. Mais à mesure que je dégèle, je découvre que j'ai pas mal plus de rage que d'amour dans le cœur. De toute façon, à quoi il sert, le kit sobriété/lucidité, si tu n'as nulle part où aller ?
Jennifer

À ma sortie du Partage, j'étais retournée vivre chez ma mère. Non, pas vivre : survivre. Si j'étais restée chez elle plus longtemps, je me serais jetée en bas du Pont-La-Peur au lieu d'essayer de le traverser. Heureusement, Claire m'a tendu la main.

Pourquoi je pense à Isa, maintenant ?

Isa. Un jour, je réussirai à le traverser, ce Pont-La-Peur-là.

Cent

J e poireaute devant l'écran de l'ordinateur depuis au moins quinze minutes. Merde! Il y a une ado en désintox qui a besoin d'être encouragée, et moi, je ne trouve pas les mots.

Ostifi! Mon cœur se met à secouer les barreaux de sa cage.

Un message intitulé *Un tango nommé désir* vient d'arriver.

Mandoline,

Au retour du mariage, je t'ai dit : « Je n'étais pas sûr de vouloir te revoir. Je n'étais pas sûr, non plus, de ne pas vouloir te revoir. »

Ce n'est pas tout. Voici une pensée qui m'occupait l'esprit depuis ta fugue en pleine nuit. Je te la traduis de l'espagnol :

Si tu savais que dans mon âme,

Je conserve encore cette tendresse

que j'avais pour toi,

Peut-être que si tu savais

que je ne t'ai jamais oubliée,

Revenant sur ton passé,

Tu te souviendrais de moi.

Pascual Contursi, La cumparsita

Veux-tu encore danser avec moi, un pas à la fois, mais le tango, cette fois?

Veux-tu encore m'embrasser, des centaines et des centaines de milliers de fois, un baiser à la fois?

Si ta réponse est oui, es-tu libre, demain soir, pour un tête-à-tête avec moi, au Café aux deux rapides?

Nicolas
P.-S. : Pour essayer de te comprendre un peu mieux, j'ai assisté, hier soir, à une réunion des Alcooliques anonymes.

Nicolas-Nicolas-Nicolas. Je suis si extrêmement folle-contente, et énervée, et nerveuse, et mon cœur a beau se prendre pour un gorille, je le laisse faire, il est heureux, et je souris.

Ostifi qu'il est bon, ce sourire !

Le soir où j'étais allée chez Nicolas, nous avions écouté de la musique mais nous n'avions pas dansé. « Ton initiation au tango », m'avait-il dit.

Demain soir, je ne travaille pas !

Je me surprends à m'exclamer à haute voix :

— Eh, toi, que je ne sais toujours pas comment nommer... En tout cas, merci !

Est-ce que je viens de prier, moi ?

~

Nicolas,
Ma réponse est oui.
Cette pensée de Pascual Contursi, est-ce que tu pourras me la redire, en personne et en espagnol ?
Mandoline
P.-S. : Tu t'entendrais bien avec ma coloc. Claire est maniaque des pensées des autres.

Cent un

J'ai relu, pour la dixième fois au moins, le dernier courriel de Jennifer.

Avant même d'essayer d'y répondre, je vais piger une pensée dans le coffre à bijoux-de-mots de Claire. Au cas où je trouverais l'inspiration dont j'ai besoin.

3e étape : Nous avons décidé de confier notre volonté et nos vies aux soins de Dieu tel que nous le concevions.

Cette étape des Alcooliques anonymes m'a toujours fait, et continue de me faire grincer des dents. Confier notre volonté, est-ce que ce n'est pas un signe de faiblesse ?

Je remets le bout de papier dans la boîte et pige une autre pensée : *Garder l'esprit ouvert.*

Très drôle.

Je relis le courriel.

J'essaie de tenir le coup. Mais à mesure que je dégèle, je découvre que j'ai pas mal plus de rage que d'amour dans le cœur. De toute façon, à quoi il sert, le kit sobriété/lucidité, si tu n'as nulle part où aller ?

Jennifer

La rage, l'amour, la peur. Et nulle part où aller.

On a tous besoin de savoir qu'on est quelqu'un qui va quelque part.

Ostifi! Un éclair fulgurant illumine mon esprit. Un gros bonheur, qui attendait son heure, me guettait. Mais je ne le savais pas. Je me revois, hurlante de rage, sauter dans les promesses A.A. que j'avais déchirées. Parce que Claire m'avait abandonnée pour aller à une réunion Al-Anon. Il n'y avait personne, ce soir-là, pour répondre à mes appels à l'aide : ni Claire ni Paul ni les autres membres que je tentais désespérément de joindre. Et si le destin nous faisait signe par hasard? La carte postale que Sara m'avait envoyée du Yukon m'est tombée sous la main.

Ce soir-là, si les choses s'étaient passées selon MA volonté, je ne me serais pas retrouvée chez Sara pour lui ouvrir mon cœur. Et mon amie n'aurait pas pu mettre à exécution son plan de retrouvailles entre Nicolas et moi.

Et si c'était la Vie qui avait manigancé ces retrouvailles en se servant de Sara?

J'ai l'impression, tout à coup, de voir clairement un bout de ce fil d'or qui relie les morceaux de mon histoire.

Une autre idée me frappe. Dans son essai sur la synchronicité, Félix Vadeboncœur ne raconte-t-il pas, en d'autres mots, ce que nous suggèrent les douze étapes des A.A.? Je repense, en souriant, à celle qui m'a tapé sur les nerfs jusqu'à... presque tout de suite. *Nous avons décidé de confier notre volonté et nos vies aux soins de Dieu tel que nous le concevions.* Dans mes mots à moi, ça donnerait : « Je choisis de laisser la vie œuvrer dans les moindres recoins de mon existence. »

Je me dépêche d'écrire à ma petite protégée :

Jennifer,

Je te propose un pacte : tu me fais une promesse, et moi, je t'en fais une, OK?

Ta promesse : Pour l'instant, peux-tu juste essayer de croire que la vie te veut du bien? Même si ça ne paraît pas en ce moment.

Ma promesse : Je serai là pour toi, à ta sortie.

TU N'ES PAS TOUTE SEULE
Mandoline
P.-S. : N'oublie jamais que tu m'as sauvé la vie.

Le visage de la petite fille au regard éteint dans l'auto du salaud se faufile dans mon esprit.

Cent deux

— You hou, Mandoline ?

— Ah, Sophie.

— Il y a foule devant ta caisse, me glisse-t-elle à l'oreille.

Je lève la tête. Trois personnes attendent, en effet.

— Oups ! Excusez-moi.

Je m'occupe des clients.

— Tu es distraite, ce soir, mais tes yeux sont tellement lumineux que je ne te chicanerai pas, me dit Sophie.

Le téléphone sonne. Je décroche.

— Je ne voulais pas te manquer avant que tu partes. Je te souhaite une soirée magnifique, ma belle.

— Oh, Claire, merci.

— Je t'envie, tu sais, ajoute-t-elle.

Comment ça se fait qu'une belle femme intelligente et fine comme elle soit toute seule ?

— Claire, je suis sûre qu'un homme au cœur aussi grand que le tien finira par débarquer dans ta vie.

— J'espère qu'il ne tardera pas trop longtemps. Je veux des bébés, moi ! Bon, je t'embrasse.

Mon amie me répétait, encore ce matin, que le tic tac de son horloge biologique commençait à l'affoler.

— Moi aussi, je t'embrasse, Claire.

Je raccroche, regarde l'heure.

— Allez, sacre ton camp à ton rendez-vous galant, me dit Sophie.

Cent trois

— Tu sais, quand nous nous sommes revus au parc... *Manon Lescaut,* c'était mon bouclier, me dit Nicolas.

Qui c'est, celle-là ?

— Tu m'avais parlé d'un rendez-vous important mais tu n'avais pas mentionné qu'elle s'appelait Manon.

Nicolas sourit avant d'ajouter :

— Mon rendez-vous ne s'appelait pas Manon mais Désirée.

Je ne le suis plus du tout. Il m'explique :

— *Manon Lescaut,* c'est le titre du roman que je faisais désespérément semblant de lire.

Il me semblait que c'était un livre religieux. En tout cas... Je réplique :

— Tu avais l'air captivé, pourtant.

— Je travaillais très fort, tu sais.

Et Désirée, celle qu'il est allé voir après m'avoir plantée là en me souhaitant « Bonne chance » ?

Nicolas interpelle la patronne :

— Mathilde, est-ce que Désirée va bien ?

Surchargée de vaisselle sale, la patronne qui chantonne tout le temps affirme que oui en hochant la tête et file à la cuisine. Nicolas joue aux hommes cruels ou quoi ?

— Je ne t'avais pas dit que la fille de Mathilde et François s'appelait Désirée ?

Le gros poids de peur qui pesait sur mon cœur tombe. Je lance, d'une voix légère et joyeuse :

— Un zéro pour toi.

— Non, ma chère ! Avec *Manon Lescaut* de l'abbé Prévost, ça fait deux zéro.

Un abbé ! Je le savais que je n'avais pas rêvé cette histoire de curé !

Je riposte :

— Mais la soirée est encore jeune. Tu ne perds rien pour attendre.

Et qu'est-ce qu'on attend pour sortir d'ici ? « J'ai envie de t'embrasser ! » C'est ce que je crie à Nicolas avec mes yeux, alors que les frissons s'emparent de moi.

— Tu veux qu'on y aille ? me demande-t-il.

Est-ce qu'il y aura toujours ce *timing,* entre nous, pour qu'on se lise aussi bien ? Je ne me fais pas prier : je suis déjà partie.

Je m'arrête devant l'aquarium, troublée. Est-ce que je fabule ? Le poisson rouge, destiné à servir de lunch à l'oscar à son arrivée ici, est maintenant plus gros que celui qui devait le manger. Nicolas pose sa main sur mon épaule : comme si la foudre me frappait. La décharge électrique me traverse et la lumière rayonne partout en moi. Est-ce que j'irradie, Nicolas ?

Nous nous dirigeons vers la sortie.

— Je te raccompagne chez toi ? me demande Nicolas.

— J'aimerais beaucoup.

Mathilde passe devant nous en s'excusant, en nous saluant et en chantant : *Y avait trois gouttes de sang. Qui faisaient comme une fleur. Comme un p'tit coqu'licot, mon âme, comme un p'tit coqu'licot...*

Nicolas n'a pas reparlé de danser le tango avec moi.

Cent quatre

N icolas stationne l'auto devant la maison. Je lui dis :
— Viens.

Il pose sur moi un regard chargé de désir et d'étonnement. Je frissonne. J'ouvre la portière. J'ajoute, avant de descendre :

— Je voudrais te montrer quelque chose.

Il me rejoint sur le trottoir. Je prends sa main.

C'est la première fois que Nicolas vient chez moi. Ça me rend (terriblement) nerveuse et (absolument) heureuse. Nous entrons. Je ne lâche pas sa main.

Claire est couchée. J'entraîne Nicolas dans le passage, sur la pointe des pieds, en faisant : « Chut. »

Comme nous arrivons dans ma chambre, mon cœur s'affole. J'allume le plafonnier et vais tout droit à la fenêtre.

— Regarde.

Nicolas s'approche. L'empreinte de la corneille, sur la vitre, le fascine.

— C'est vraiment magnifique, s'exclame-t-il.

Puis il entoure mes épaules de son bras. Je vois mon lit. Je ne sais plus comment agir. Je deviens toute mêlée. Je voudrais que Nicolas m'embrasse. Je voudrais qu'on se jette sur mon lit. Je voudrais partir en courant, toute seule, pour aller je ne sais où.

Je ne sais pas ce que je veux.

Nicolas se place devant moi sans desserrer son étreinte. Il se penche et dépose sur mes lèvres un tout petit baiser. Tout petit. Je le relance. À la vitesse de l'éclair. Je prends son visage entre mes mains, l'attire, pose ma bouche sur la sienne. Nicolas me répond. M'en dit long à propos du désir et de la joie, avec sa langue qui goûte bon. Je frémis de tout mon corps. Ma peur se débat. Les grands frissons l'achèvent à coups de plaisir. Ces flèches de plaisir lumineux... qui nous irradie.

Embrase-moi. Embrasse-moi, encore, Nicolas. Pendant que tu m'embrasses, je deviens une grande fille pleine d'espérance.

Nous reprenons notre souffle. Mon lit nous dévisage. Menaçant. Nicolas me repousse. Un petit peu. Pour fouiller dans la poche de sa veste. Il en sort une enveloppe qu'il va déposer sur l'un de mes oreillers. Intriguée, je demande :

— Qu'est-ce que c'est ?

Et je m'apprête à bondir pour aller la chercher. Nicolas me retient par la main et me répond :

— Une entrevue que j'ai faite avec Pablo Verón, un grand danseur de tango. Tu la liras plus tard, d'accord ?

Qu'est-ce qui se passe, tout à coup ? De toute évidence, Nicolas a perdu sa belle aisance.

— Ça ne va pas ?

— Je t'assure que si.

Nicolas a beau me sourire, son air songeur me fout la trouille.

— M'offrirais-tu un grand verre d'eau froide ? me demande-t-il.

Cent cinq

Nicolas m'a suivie à la cuisine. Je tourne le robinet, laisse couler l'eau.

Je nous sers à boire. Il prend une grande gorgée puis dépose son verre sur la table. Il s'assoit. Je fais de même.

— Parle, Nicolas. Laisse-moi pas m'énerver. C'est quoi le rapport entre ton malaise et cette fichue entrevue ? Pourquoi je ne peux pas la lire tout de suite ?

Ma petite montée de lait lui rend son beau sourire.

Il pose sa main sur la mienne et me prie de ne pas m'énerver.

— Ce que je veux te confier, Mandoline, ce n'est pas du tout inquiétant pour toi. Mais c'est gênant pour moi.

Une autre gorgée d'eau. Encore du silence.

— Je ne sais pas si tu te souviens, mais le soir où tu es venue chez moi, je t'ai dit : « Depuis que j'ai posé les yeux sur toi, je rêve de danser le tango avec toi. »

Comme si une fille pouvait oublier une déclaration pareille ! Je réplique :

— Qu'est-ce que tu crois ? C'est sûr que je m'en rappelle !

— Ce n'étaient pas des paroles en l'air, ajoute-t-il en pressant légèrement ma main.

Ce geste m'apaise.

— La rencontre avec Pablo Verón s'était très bien passée. Mais en rentrant chez moi, après l'entrevue, j'ai été assailli par une tristesse intense et inexplicable. Au cas où tu te poserais la question :

non, ça n'avait rien à voir avec Léa. Une idée qui m'avait traversé l'esprit, au cours de l'entretien, me repassait par la tête...

Il se tait, se lève, va remplir son verre et revient s'asseoir. Je demande :

— C'était quoi l'idée ?

— « Un jour, je rencontrerai celle avec qui je danserai le tango. » Et tout à coup, j'ai ressenti une émotion tout aussi intense et aussi inexplicable que la tristesse que je venais d'éprouver. La certitude que non seulement cette femme existait et que je la rencontrerais, mais... Ça va peut-être te sembler fou, mais, à ce moment-là, j'avais le sentiment de m'approcher de cette femme. Je ne sais pas si c'est clair, ce que je te raconte, mais ce que je ressentais n'avait rien à voir avec le désir de rencontrer quelqu'un. J'avais hâte de la retrouver, elle.

Nicolas soulève ma main et l'embrasse, sans cesser de me regarder.

— Un an plus tard, quand je t'ai vue, au Café aux deux rapides, une bouffée de fraîcheur est aussitôt montée en moi : « C'est elle. » Nous n'avions pas encore échangé un mot. Nous ne nous étions même pas présentés.

Juste avant cette confidence, j'ai eu la frousse à cause du silence. Je devrais être soulagée maintenant. Ce que Nicolas m'a confié, c'est du gros bonheur qui me rentre dans le cœur. Mais est-ce qu'il y a assez d'espace, en moi, pour le contenir ? La petite voix me souffle : « Ne te laisse pas impressionner par ce Pont-La-Peur, Mandoline. Traverse-le. Vite. Tout de suite. »

— J'ai peur, Nicolas.

Il se lève, moi aussi. Il s'approche, me prend dans ses bras. Pour traverser la peur, il m'offre un gros câlin avec tout plein de tendresse dedans. De l'autre côté, je recommence à frissonner dans ses bras. De plaisir.

Je lève la tête. Nos regards ne se lâchent pas. Nicolas se penche, embrasse du bout des lèvres mes joues, mon nez, mes paupières, mon menton, ma bouche. Puis il caresse le lobe de mon oreille en murmurant :

— Je n'ai pas oublié ta demande, Mandoline.

Oups ! Là, je ne le suis plus.

— Quelle demande ?

— *Si supieras que aún dentro de mi alma conservo aquel cariño que tuve para ti, quién sabe si supieras que nunca te he olvidado, volviendo a tu pasado, te acordarías de mí.*

Si tu savais que, dans mon âme, je conserve encore cette tendresse que j'avais pour toi, peut-être que si tu savais que je ne t'ai jamais oubliée, revenant sur ton passé, tu te souviendrais de moi.

Je saute au cou de Nicolas et lui lance, entre deux gros bisous très doux :

— C'est fou, l'effet que tu me fais en français. Mais en espagnol, je te dis pas !... Je ne peux pas !

Nicolas pouffe de rire !

— *Buenas noches,* beauté céleste.

— Bonne nuit, Nicolas-beau-comme-un-cœur.

Je l'accompagne jusqu'à l'entrée. Il ouvre la porte. Nous replongeons dans un baiser. Long, fougueux. Et tendre.

— Tu goûtes bon, me chuchote-t-il.

— Toi aussi.

Il s'en va. J'écoute ses pas sur le trottoir. Je l'aime à l'infini, ce bruit.

La voiture de Nicolas disparaît de ma vue.

Dans le ciel, un seul nuage, énorme et en forme de loup. Tout y est : la tête, les petites oreilles pointues, le museau, le corps élancé. Et la lune, cachée derrière, éclaire le ventre de l'animal. Un bedon rond, lumineux. C'est hallucinant !

Ce doit être une louve.

Je referme la porte et je cours jusqu'à ma chambre. À haute vitesse. Si je ne me retenais pas, je hurlerais de joie.

Cent six

Entretien avec...
PABLO VERÓN
par Nicolas Chevalier

Pablo Verón a-t-il besoin de présentation ? Si vous êtes amou-
reux du tango, vous l'avez sans doute admiré dans le film **La Leçon**
de tango *de Sally Potter...*

Quoi ? CE danseur-là a joué dans CE film-là ! Et MON Nicolas-
à-moi l'a interviewé ? Il faut absolument que je le dise à Sophie !
Si c'est vrai que la vie parle à travers des coïncidences chargées
de sens, quel clin d'œil savoureux elle me fait en ce moment !
Et si la *serendipity* est la faculté de trouver par hasard ce dont
on a besoin, moi, je suis... une *serendipitoune* !
Je poursuis la lecture de l'article avec une attention particulière.

~

Je me branche sur Internet et j'écris à Nicolas :
Nico,
Un truc m'a beaucoup touchée dans ce que Pablo Verón t'a raconté.
C'est quand il explique pourquoi les partenaires ne se regardent pas
beaucoup pendant un tango : « Le regard est tourné vers l'intérieur
pour ressentir la présence de l'autre en nous. »

Pour le reste, ça me semble bien compliqué, le tango! «Cet état un peu fougueux et léger en même temps... Il faut occuper son espace et, en même temps, celui de l'autre. C'est une danse libre. Il n'y a rien de calculé. Mais, en même temps, tout est précis.»

Ouf! Moi, je ne suis pas du tout certaine que j'arriverai à faire tout ça EN MÊME TEMPS, en restant détendue.

Mais tu sais ce qui me touche VRAIMENT-VRAIMENT? C'est ce que toi, tu m'as raconté à propos de cet article. Je n'arrête pas d'y penser.

Mando

P.-S. : Aurais-tu, par hasard, le film La Leçon de tango?

Cent sept

*M*ando,
   *Loin de moi l'idée de vouloir te compliquer l'existence
avec les propos de Pablo Verón. Si nous commencions par assister
à un spectacle pour observer les danseurs, écouter la musique, laisser
la pulsion de vie et le rythme nous parler? Qu'est-ce que tu en dis?*

   Oui, j'ai le film La Leçon de tango, *et ce n'est absolument pas
par hasard. Nous pourrons le regarder ensemble, si tu veux.*
   Nico
   *P.-S. : Il y a trois choses dans le tango : la danse, la musique et la
poésie. On ne peut pas les dissocier. Un jour, nous danserons ensemble.
Ça sera simple, agréable et beau. Je te le promets.*

~

Nico,
   Oui : au spectacle, au film, au tango avec toi.
   Mando

Cent huit

Ma vie s'embellit! Moi aussi. C'est ce que tout le monde me dit. À commencer par Nicolas-beau-comme-un-cœur.

Petit bilan de victoires :

- Je ne bois plus.
- J'ai jeté la poudre.
- J'ai fait la paix avec ma famille.
- Claire m'a tendu la main à nouveau.
- J'ai tendu la main à Jennifer.
- J'ai un emploi qui me permettra de régler mes dettes envers Claire.
- J'achève mes études secondaires; je ne sais toujours pas ce que je ferai ensuite, mais j'ai le temps de voir venir.
- Pour me récompenser d'avoir bien fait mes devoirs, la vie m'offre ce gros cadeau : la suite d'une sacrée belle histoire d'amour qui avait été interrompue brusquement et que je croyais perdue. (J'ai quand même envie de me plaindre un peu : entre l'école et mon travail au club vidéo, je ne vois pas l'élu de mon cœur aussi souvent que je le voudrais. Mais ostifi que je savoure chacune de nos rencontres!)

C'est immanquable, les petites listes me font toujours autant d'effet : je suis aux oiseaux. Aux corneilles, pour être plus précise.

Recoudre les morceaux déchirés de mon histoire, n'est-ce pas ce que j'ai fait?

— Bon appétit, dit la prof de maths.

Les étudiants se lèvent. Oups! J'étais dans la lune. Non, loin, loin en moi, mais ce n'était pas la lune.

Cent neuf

Une question me talonne l'esprit depuis que j'ai posé mes fesses sur ce banc : une fois qu'on a rapiécé le passé, qu'est-ce qu'on fait ?

Vue de l'extérieur, je suis une étudiante, assise sur le banc d'un petit parc, en face d'une école, et j'achève de grignoter mon sandwich.

Vue de l'intérieur, je tourne en rond à cause d'une grande question existentielle.

C'est peut-être fou mais... Au lieu de continuer de me ronger les méninges, je décide de consulter la petite voix qui m'interpelle, de temps en temps, pour me souffler des réponses. Après tout, elle a l'air d'en savoir très long sur moi.

Dis donc, petite voix, une fois qu'on a rapiécé le passé, qu'est-ce qu'on fait ?

J'essaie vraiment de mettre le piton de la raison à *off*.

J'essaie vraiment de laisser parler mon cœur.

« Tu crois en avoir fini avec le passé ? » me demande la petite voix.

Je n'aime pas cette question en guise de réponse. Je réplique : « Tu n'as pas répondu à ma question. »

« Tu avais besoin de cette réponse », réplique à son tour la petite voix.

Au printemps dernier, j'étais convaincue d'avoir tout réglé et je me suis plantée. D'aplomb.

Je demande alors : « Qu'est-ce qu'il reste à recoudre, d'abord ? »

« Tu le sais, mais tu crois que tu ne le sais pas encore. »

Ces mots me propulsent tout droit sur un Pont-La-Peur. Pourquoi ? Je planais comme une corneille, mais la petite voix m'a coupé les ailes.

« Non, réplique la voix en question. Je te suggère seulement de modérer tes transports. »

C'est l'heure de retourner en classe.

« Se hâter lentement », affirme l'un des slogans très populaires dans nos réunions. Je sais, je sais, l'impatience peut être aussi dommageable que la peur.

Pour l'instant, je me cramponne au slogan A.A. et je retourne à l'école en me hâtant lentement. Le visage d'Isa me traverse l'esprit. Traverse et s'en va.

Cent dix

M *ando,*
C'est mon anniversaire mercredi prochain. Ma mère
m'organise une petite fête, avec les sorcières, l'avocate du diable
et Luce. Je serais très heureux si tu acceptais de m'accompagner.
Nico

～

Nico,
Pour le souper chez ta mère, c'est oui.
Je bénis mon amie Sara d'avoir manigancé comme elle l'a fait.
As-tu réalisé qu'elle nous a fourni un bon alibi? Tu m'as rencontrée au
mariage de ta tante Loulou. En tout cas, moi, je préfère cette version
romancée à la vérité. C'est moins gênant d'être présentée à ta famille
comme étant l'amie de Sara Lemieux plutôt que l'ancienne danseuse,
alcoolique toxicomane retournée aux études que tu as interviewée en
tant que journaliste.
Mando

～

Pour son anniversaire, j'aimerais offrir à Nicolas une fille emballée,
capable de s'abandonner, capable de lui dire « Je t'aime » jusqu'au

bout. Vu de l'extérieur, ça pourrait avoir l'air bizarre : une ancienne prostituée qui offre son corps en cadeau à un gars.

Mais ce n'est pas vu de l'extérieur, justement.

Cent onze

— Sur ce poème de Marie Noël, je vous demande un texte de réflexion de deux cents mots, avec une introduction, un développement et une conclusion.

Abdi Mouawad remet la pile de feuilles à un étudiant pour faire circuler le poème en question.

Marie Noël, Jugement, *extrait*

Connais-moi ! Connais-moi,
racine, fleur et graine,
Moi toute seule, mes vols d'ange
et mes bonds d'animal,
– Si me connaître toutefois en vaut la peine –
Démêle en moi le vrai, le faux, le bien, le mal.
À Toi je m'abandonne, ô lumière suprême,
Disparue à mes yeux dans les tiens où je suis
Seule moi, seule vraie à l'insu de moi-même.
Comme Tu me connais, ô juge de minuit,
Juge-moi !
Mais sauve-moi comme tu m'aimes.

Cent douze

Ce soir, Nicolas m'emmène au Tangobar. Nous danserons pour la première fois dans un endroit public, parmi d'autres couples. Ça me rend très-énormément nerveuse.

Il paraît que je suis belle :

1. À croquer,
2. À couper le souffle,
3. À faire damner un saint.

C'est Nicolas qui le dit.

~

Il m'enlace. Je tournoie. Mais pas au bon moment. Je m'enfarge dans les pieds de Nicolas. Quand ce n'est pas dans les miens ! Je fonce dans les couples de danseurs qui gambadent sur la piste avec tellement d'aisance, eux autres !

— J'ai l'air d'un éléphant dans un jeu de quilles.

— Tu veux dire « un chien » ?

— Je t'assure que c'est un éléphant !

Mon partenaire, à la patience d'ange, s'immobilise. Découragé ?

— Mandoline de mon cœur, arrête de penser, s'il te plaît, et lâche prise.

Réplique empreinte de fermeté mais dépourvue de colère.

Arrêter de penser et lâcher prise. Facile à dire ! Il y a au moins mille choses à considérer : tourner ici, se pencher là, reculer, non avancer, tourner, plier...

Fougue et légèreté.

— Suis-moi, d'accord ? me répète Nicolas pour la centième fois au moins.

— Mais j'essaie, ostifi !

— Où vas-tu comme ça, toute seule ? Tu veux bien essayer de me suivre ?

— Mais je n'arrête pas d'essayer.

~

— Nicolas ?

— Quoi, ma plus-que-belle ?

— Pour ce soir : Un, j'ai mon voyage. Deux : J'en ai plein mon casque. Trois : J'en ai ras le bol. Et quatre : J'en ai ras le pompon.

— Quelle est la différence entre ces quatre points ?

— Il n'y en a pas, mais la somme des quatre implique que c'est quatre fois pire. Tu me suis ?

— Où tu veux, chère !

Nous quittons le Tangobar. Sur le trottoir, je me lamente de bon cœur :

— Je suis une vraie nullité !

Mon partenaire si compréhensif riposte.

— Nullement ! Tu es une vraie débutante ! Nuance, ma belle.

— Merci pour la précision.

Nicolas m'ouvre la portière. Juste avant que je monte dans la voiture, il me chuchote à l'oreille :

— Il n'y a pas de quoi, Beauté céleste à m'en rendre fou d'amour, de désir et de bonheur.

— Nicolas Chevalier, est-ce que tu n'en mets pas un peu trop ?

— Tu peux mesurer la profondeur de mon cœur, toi ?

Je réplique :

— Sûrement pas ! Je ne suis même pas capable de mesurer la profondeur du mien.

Nicolas s'apprête à démarrer l'auto.

— Maintenant, faisons les choses à l'envers. Donne-moi ta réponse.

Oups, j'ai dû en manquer un bout.

— C'était quoi la question ?

— Tu me donnes la réponse ; tu as le choix entre oui et non. Ensuite, je te pose la question.

Je souris, très curieuse, et n'hésite pas une seconde :

— Oui. Quelle est la question ?

— Est-ce que tu viens dormir chez moi ?

Cent treize

L a petite cicatrice a disparu.
Nicolas a fait effacer le surnom de Léa qui était écrit sur sa poitrine.

— Mais je ne ferai pas tatouer ton prénom. Là où tu es, ça serait trop dangereux de piquer avec des aiguilles.

Il avait Léa dans la peau. Moi, il m'a dans le cœur.

Bien sûr que ça passe par la peau. Mais ça va beaucoup plus loin.

~

Je me sens comme s'il était écrit sur moi : *Out of order. Défectueuse.* Et j'ai peur d'être rejetée.

Au-delà du baiser, je suis incapable de m'abandonner.

En bas de la bouche, mon corps ne veut plus parler, et ça m'enrage, ostifi ! Quand les mains de Nicolas me caressent, les serpents arrivent et me rampent dessus. Des mains sales qui volent le meilleur de moi.

Ma mère endort ses blessures avec des pilules, des bonbons très puissants. Ou bien elle les étourdit dans les téléromans. Ou bien elle les noie dans le vin et les romans à l'eau de rose.

Maman, je sais maintenant pourquoi je déteste ces histoires d'amour à l'eau de rose. C'est parce qu'elles essaient de nous faire croire qu'on n'a pas besoin de faire le ménage en soi avant de pouvoir tomber dans les bras d'un homme charmant.

Nicolas, je veux l'aimer du fond du cœur, mais mon corps ne veut pas le lui dire jusqu'au bout.

La petite voix me souffle : « Il va au bout de tout ce qu'il peut dire pour l'instant. »

Un baiser.

Les clients, je ne les embrassais jamais. C'était : « Pas-touche-à-ma-bouche ! »

— Nicolas, veux-tu me chanter une berceuse ? Mais pas *Frère Jacques* ni *Au clair de la lune*, OK ?

Il me prend dans ses bras, me berce, me chantonne une très jolie mélodie. Sans paroles.

Es-tu déçu, Nicolas ? Vas-tu me laisser tomber ? Vas-tu endurer encore longtemps que tes caresses me fassent mal ? Vas-tu être capable d'attendre que je cicatrise à l'intérieur ?

Nicolas me rassure, m'apaise. À force de douceur, est-ce que je guérirai de partout ?

Nicolas, la prochaine fois, si mon corps se fige encore sous tes caresses, on laissera le baiser, ce pont qui permet d'aller dans le cœur de l'autre, durer toute la nuit. Si je ne tombe pas de ce pont-là, les serpents affamés finiront peut-être par s'écœurer d'attendre une proie qui n'arrive pas.

Un jour, un jour à la fois, je réussirai à chasser les serpents.

— Je t'aime, Mandoline.

Nicolas soulève mon menton et m'oblige à soutenir son regard. Avec fermeté, il me lance :

— Si tu veux que ça te rentre dans le cœur, regarde-moi dans les yeux quand je te le dis !

Tout doucement, il répète :

— Je t'aime.

Cent quatorze

J'entre au club vidéo. Je me suis trompée. Des filles dansent, sur scène et aux tables. Je reconnais Pétunia, Rosie-Rosa, Marie-Lys, Jasmina.

Je veux partir, mais Gerry m'attrape et me fait signe de monter sur scène. Je refuse. Il fait claquer un fouet ; le bout est pointu et métallique. Je claque des dents. Gerry me menace maintenant de la pointe de son couteau. Il fait noir. Personne ne s'aperçoit du danger que je cours. Gerry m'oblige à monter sur scène. En montant les marches, j'aperçois Coquelicot derrière le rideau, dans les coulisses.

— Je t'attendais, me dit-elle.

Gerry ordonne :

— Ce soir, les petites fleurs, vous dansez le tango !

Je ne veux pas. Je réplique :

— Non, pas le tango !

Coquelicot me prend par la main et m'entraîne sur la scène. La musique de tango commence. Coquelicot se déshabille.

Des coulisses, Gerry me montre son couteau en se passant la langue sur les lèvres. Je commence à retirer mes vêtements, mais lentement. Des larmes de rage et d'impuissance coulent sur mes joues. Coquelicot est déjà toute nue. Les clients crient :

— Vas-y, Lilas ! On a payé ! À poil !

Quelqu'un se lève, dégoûté. C'est Nicolas. Il s'en va. J'ai l'impression de recevoir un coup de poignard en plein cœur.

Les clients commencent à taper sur les tables à coups de poing, tous en même temps. Puis ils hurlent et répètent, en chœur :

— Prends soin de toi, petite salope !

Je me réveille en sursaut. À l'envers et perdue, dans le lit de Nicolas. À côté de Nicolas. Je ne peux pas rester ici. Je ramasse mes vêtements et quitte la chambre.

— Sauve-toi pas, me souffle la petite voix.

Il faut que je sacre mon camp ! Vite. Je m'habille dans le salon.

— Sauve-toi pas, me répète la petite voix.

Mais qu'est-ce que je fais, si je ne me sauve pas ?

Je me dirige vers la porte. Ça ne va pas bien du tout. Il y a beaucoup de Ponts-La-Peur à traverser. Mais je tiens le coup.

Je vais m'asseoir sur le divan et me berce.

— Mandoline, il est quatre heures du matin. Qu'est-ce que tu fais là ? me demande Nicolas.

— Je... je me sauve pas.

Cent quinze

*M*andoline Tétrault
SAUVE-MOI COMME TU M'AIMES
Petites équations à propos du Jugement *de Marie Noël*

Avertissement :
Même si je n'ai pas utilisé le nombre de mots requis, j'ai beaucoup réfléchi.
Nombre de mots : 154

Introduction :
Me connaître en vaut-il la peine ?
Je ne suis sûre que de ceci : Ne pas me connaître ne m'a apporté que de la peine.

Développement :
« Sauve-moi comme tu m'aimes » :
C'est ce que j'ai demandé aux hommes. Je me suis perdue.
C'est ce que j'ai demandé aux dieux des autres. Je me suis perdue.

Dans « Sauve-moi comme tu m'aimes », il y a moi :
Moi qui demande + Moi qui réponds + Moi qui aime = Trinité bien ordonnée commence par soi-même.

Comme le souhaitait le petit Jésus quand il disait : « Aime ton prochain comme toi-même ! »

Conclusion :
Ensuite ? Je pourrai danser le tango avec un-gars-charmant-beau-comme-un-cœur.

Cette hypothèse reste à vérifier.

Cent seize

Je ne m'explique pas cette grosse vague de tristesse soudaine qui déferle en moi. Ni cette fatigue qui me tombe dessus, comme un banc de brouillard.

Est-ce le fait que je serai présentée officiellement au petit monde de Nicolas, demain soir, qui me rend nerveuse ?

Il est juste vingt heures douze mais je me mets au lit.

Je m'oblige à me détendre. La relaxation finit par porter fruit. Je suis sur le point de m'endormir.

Je suis un bébé au chaud dans le ventre de sa mère. Je ne veux pas sortir. Je fais tout ce que je peux pour m'agripper, mais c'est trop tard, je suis expulsée du nid douillet. À peine née, j'étouffe. Il n'y a plus d'air du tout. Je retourne au néant.

J'ouvre les yeux et m'assois dans mon lit, épouvantée. Vingt heures vingt-neuf.

Je me lève, fais les cent pas dans ma chambre.

J'étais calme, et sur le point de m'endormir. Pourquoi mon esprit a-t-il basculé dans ce maudit cauchemar éveillé ?

Claire frappe à ma porte.

— Mandoline, c'est Nicolas au téléphone.

Elle entre, me tend l'appareil et quitte ma chambre.

Nicolas me dit qu'il serait beaucoup plus simple de se retrouver à la garderie de sa mère, demain, en fin d'après-midi. Je note l'adresse :

Garderie Pareils, Pas Pareils
12, rue de l'Espérance

Pareils, Pas Pareils, quel joli nom de garderie pour des enfants handicapés !

Je dis à Nicolas :

— C'est quand même bien, le téléphone. J'aime tellement ta voix.

Il ajoute :

— On s'appellera plus souvent.

Je réplique :

— Oui, mais j'aime tellement ton écriture.

Il prend un ton d'exaspération pour riposter :

— Branche-toi, beauté céleste.

— Répète ?

— Beauté céleste ! À demain.

Avant de raccrocher, j'ajoute :

— Beauté céleste toi-même !

Cette petite pause-tendresse avec Nicolas m'a apaisée. Mais je n'en sais pas plus sur la raison de mon cauchemar éveillé.

Cent dix-sept

L uce, la presque sœur de Nicolas, m'accueille avec chaleur dans ce paradis pour enfants.

— María-Magdalena est au téléphone. Ça ne sera pas long.

Et elle m'invite à la suivre. María-Magdalena vient au-devant de nous. Puis elle pose sa main sur mon épaule en m'entraînant dans son bureau. Luce nous salue et s'en va en roulant.

— Bonjour, Mandoline. Imagine-toi donc que Nicolas s'est décommandé pour son souper d'anniversaire. Il a tenté de te joindre. Je viens de prévenir les autres que le repas était reporté.

Un contrat à la pige. Au pied levé. Pour *La Presse*. Depuis le temps que Nicolas rêve de travailler pour ce quotidien. Un journaliste s'est effondré en pleine conférence de presse. Il ne s'est pas relevé. Comme Nicolas couvrait le dossier pour *Savoir et Être*...

— Puisque tu es là, si tu veux, je t'invite à prendre une bouchée avec moi, ajoute María-Magdalena.

Heu... oui, non, peut-être.

— Tu as quelque chose de prévu ? demande-t-elle en souriant.

— Ce qui était prévu, c'était d'aller manger chez vous, non ?

Cent dix-huit

María-Magdalena me tend un verre.

— Tiens, jolie Flora!

Un peu plus et la mère de Nicolas recevait le jus d'orange en pleine figure.

— Nicolas ne m'a rien dit. Je sais lire entre les lignes, mais tu m'as aidée. En passant, il est superbe, ce chemisier.

Ostifi! Je me suis habillée exactement comme la Flora de l'article de Nicolas : jean noir et chemisier couleur tango.

J'avais pourtant un alibi en béton. Mais je me suis arrangée pour me faire piéger. Pourquoi? Pour bousiller mes chances de bonheur encore une fois? Je repense au cauchemar du bébé mort-né que j'ai fait, hier soir. «Attention aux interprétations hâtives», me souffle la petite voix. Ah, toi, ta gueule!

Je suis tellement mal à l'aise. Je ne sais plus où me mettre. María-Magdalena sourit en me regardant me débattre.

À son retour du mariage de Loulou, María-Magdalena a lu le dossier sur les raccrocheurs. Quand elle est arrivée à l'article «Un tango nommé Flora», elle a pensé à moi. Comme ça. Juste comme ça. Et tout à l'heure, quand elle m'a vue à la garderie, avec mon chemisier, son intuition lui a soufflé : «Oui, c'est elle.»

— Voilà, tu es démasquée, fait-elle en levant son verre à ma santé.

Mais qu'est-ce qui me prend de lui balancer :

— Si vous connaissiez toute mon histoire, je ne suis pas certaine que vous auriez envie de continuer à trinquer avec moi.

María-Magdalena me dévisage, et la douceur disparaît subito presto. De son regard et de sa voix.

— Tu crois que tu possèdes le monopole des secrets terribles, Mandoline? me lance-t-elle.

— Non... je...

— Mais oui. Sinon, tu ne serais pas dans cet état. Si tu permets, je vais te raconter une histoire que même Nicolas ne connaît pas, d'accord?

— D'accord.

Cent dix-neuf

« *Cela s'est passé il y a trente-trois ans, dans un petit village d'Espagne. À l'époque, on y était plus catholique que le pape. Une jeune fille, que j'ai très bien connue, s'est éprise d'un soldat de passage. Elle avait seize ans. Il lui a promis mer et monde. Une histoire banale comme tout : elle a succombé à ses charmes, il est parti, elle était enceinte. Elle n'a plus jamais eu de nouvelles du beau soldat.*

La jeune fille a bien été obligée d'en parler à sa mère. Il fallait à tout prix préserver l'honneur de la famille : c'est-à-dire sauver les apparences.

La grossesse étant trop avancée pour qu'on puisse pratiquer un avortement, l'adolescente a été envoyée chez une sœur de sa mère, à des centaines de kilomètres. On a dit qu'elle était partie travailler en ville, comme femme de chambre, chez des gens très riches. Il était convenu qu'à la naissance de l'enfant, on le donnerait en adoption.

Le temps d'accoucher venu, sa mère l'a rejointe. Le travail a été long et douloureux.

Mais maintenant, ça y était. Oui, ça y était. L'enfant était arrivé. Enfin ! Il était vingt heures trente. La jeune fille, épuisée, voulait voir son bébé, le toucher : une fille menue, presque bleue, sans main droite.

Les deux femmes se sont regardées sans mot dire. Sa tante s'est emparée de l'un des oreillers qui avait soutenu la jeune fille. Sa mère tenait le bébé qui pleurait.

— Ma fille, bénis le ciel que ta bâtarde infirme soit mort-née, lui a dit sa mère.

La jeune fille ne comprenait pas pourquoi sa mère avait prononcé ces paroles. Ni pourquoi sa tante posait l'oreiller sur l'enfant et le maintenait jusqu'à ce que... cessent les pleurs.

La jeune fille n'a pas touché, ni même effleuré son bébé, n'a même pas eu le temps de lui dire adieu avant qu'on l'assassine sous ses yeux, comme les chatons arrachés à leur mère et aussitôt noyés, elle avait vu ça à la ferme de son oncle, l'été, à plusieurs reprises. La grosse chatte, on en avait besoin pour tenir tête aux souris, mais les rejetons...

Je pensais à la ferme de mon oncle, à la chatte et aux chatons, tandis que ma mère et ma tante emmaillotaient ma petite fille morte.

Six ans plus tard, j'ai rencontré celui qui est devenu mon mari. Nous sommes venus vivre au Canada. J'ai mis au monde un beau gros garçon en santé, Nicolas. Le temps passait. Ma déprime post-natale s'éternisait. Personne ne comprenait pourquoi, puisque tout était si beau dans ma vie. Mon mari a fini par demander de l'aide et une jeune infirmière est venue me voir à la maison. Elle s'appelait Maruska Fitzgerald. Son nom m'a frappé parce que j'étais en train de lire le roman Tendre est la nuit *de F. Scott Fitzgerald. J'ai confié mon terrible secret à cette jeune inconnue. Ça m'a soulagé un peu. Maruska m'a ensuite suggéré d'accomplir un rituel. J'ai fermé les yeux et, dans mon cœur, j'ai pris ma fille et je lui ai dit : " Serena Lispector, je te baptise et je t'aime. " Et j'ai pleuré, pleuré, pendant deux heures, dans les bras de cette jeune infirmière. Après le départ de Maruska, pour la première fois depuis mon deuxième accouchement, j'ai pris mon fils dans mes bras et je l'ai serré très fort contre moi, avec tendresse, avec bonheur. J'ai pleuré et je lui ai demandé pardon de n'avoir pu le faire avant.*

Maruska est revenue me voir. J'allais mieux. Un jour, elle m'a demandé :

— Accepteriez-vous d'aider une de vos voisines ?

Cette jeune femme, qui préparait son barreau, avait une petite fille handicapée, et sa mère, qui s'en occupait, venait de tomber malade. J'ai accepté de prendre soin de cette petite fille. La suite de l'histoire, Nicolas a dû t'en parler, tout le monde la connaît. Luce, tu l'as rencontrée, c'est mon bras droit et je l'aimerai toujours comme ma fille. »

Au bout d'un long silence, je demande :

— María-Magdalena, pourquoi vous m'avez raconté tout ça ?

La mère de Nicolas plonge la douceur de son regard dans mes yeux. Cette douceur que j'aime tant chez son fils.

— Parce que j'ai écouté mon cœur qui me disait que tu avais besoin de l'entendre, Mandoline.

Elle ajoute :

— Ma fille Serena aurait eu trente-trois ans, hier, à vingt heures trente. Je pense à elle tous les jours. J'y penserai jusqu'à mon dernier souffle.

Vingt heures trente ! Sonnée, je raconte à María-Magdalena le cauchemar que j'ai fait hier soir, à vingt heures vingt-neuf. Elle me sourit, l'air à peine étonnée par cette fulgurante coïncidence.

— Il y a longtemps, ma chérie, que je n'essaie plus d'expliquer la grâce. Mais je la laisse œuvrer.

Elle presse très fort ma main entre les siennes.

— Mandoline, quand la vie te donne une deuxième chance, tu la remercies, tu retrousses tes manches et tu fonces !

J'éclate. Tout d'un coup. Une fontaine. Une vraie. Gigantesque.

— Pleure. Pleure, me répète la voix très douce.

Et je pleure. Longtemps.

Au bout d'un long, d'un très long moment, il me semble, María-Magdalena me demande :

— Tu sais ce que tu es en train de faire ?

Je hoche la tête en guise de non.

— Du jus de peine.

Je pouffe de rire à travers mes sanglots. Tout d'un coup. Mélange de jus : moitié peine, moitié joie.

— C'est un de mes petits trésors, à la garderie, qui m'a donné cette définition du mot « larme ».

Je ris, je pleure et, maintenant, j'ai le hoquet.

J'explique à María-Magdalena :

— C'est mon ange gardien qui me donne des coups de pied dans le ventre.

Charmée par la définition que j'avais donnée du hoquet, à l'âge de trois ans, María-Magdalena s'empresse de la noter.

Quand l'ange se calme, dans mon ventre, je murmure :

— Mon secret, à moi, s'appelle Isa...

Cent vingt

L'automne s'achève, mais il fait chaud comme au cœur de l'été. Les feuilles des arbres sont rouges.

Je vais m'étendre, dans la cour, sous le lilas. Soudain, une branche tombe sur la chaise. Je ne comprends pas. C'est une branche de lilas en fleurs, mais les fleurs sont rouges.

Une autre branche tombe, sur moi, cette fois. Je commence à avoir peur. J'essaie de me lever de la chaise, mais je ne peux pas. Je suis attachée avec une corde noire.

Les branches de lilas rouges continuent de tomber. De plus en plus, et de plus en plus vite. Je me débats. Je crie à l'aide, mais personne ne vient à ma rescousse.

Une corneille mange les graines de tournesol sous la fenêtre de ma chambre. Quelqu'un imite le cri de la corneille puis éclate de rire. C'est Isa. C'est elle qui m'a attachée. Les branches de fleurs tombent toujours sur moi. Je serai bientôt complètement couverte de fleurs rouges. Je supplie Isa de me détacher. Elle me lance un regard glacial en plantant une aiguille dans mon toutou. Je lâche un cri de douleur. Isa pique une autre aiguille dans le toutou et une autre et encore une autre. Chaque aiguille enfoncée dans l'ours en peluche me fait mal. La douleur est insupportable. Isa laisse tomber le toutou sur moi et s'en va en ricanant. Je crie :

— Il n'y a plus de poison dans mon toutou !

Isa réplique, au loin :

— Menteuse !

Je suis complètement ensevelie sous les fleurs et j'étouffe. J'ai du mal à respirer. Je me réveille. J'ai du mal à respirer.

Je me lève, vais dans la chambre de Claire et me couche à côté de ma marraine. Je n'arrive pas à me rendormir.

— Sauve-toi pas, me dit la petite voix.

Exaspérée, je réplique intérieurement :

— Tu as l'air de savoir beaucoup de choses. Alors qu'est-ce que tu attends pour aller jusqu'au bout ? Vide ton sac, qu'on en finisse, une bonne fois pour toutes !

Encore un Pont-La-Peur.

Traverser.

Je sors du lit et vais m'habiller en vitesse.

Avant de quitter la maison, je m'arrête devant les Promesses affichées. Je ferme les yeux et pose mon doigt au hasard sur l'une d'elles : *Notre intuition nous dictera notre conduite dans les situations qui, auparavant, nous déroutaient.*

— À nous deux, Isa.

Cent vingt et un

Une corneille se pose sur le dossier du banc du petit parc. Comme elle est grande vue d'aussi près ! Elle n'a pas peur de moi. Je n'ai pas peur d'elle.

Isa est assise à côté de moi. C'est mystérieux. Je ne comprends pas tout. Je me rappelle simplement que ce n'est pas parce qu'une chose me dépasse que ma vie n'avance pas. Mais j'ai peur tout à coup. Pas vrai ! Ce n'est pas de la peur, mais de la honte. L'épouvantable honte si désespérément camouflée, loin, loin en moi. Et si lourde à porter.

« Affronte le regard d'Isa », me souffle la petite voix.

Cette honte qui mène tout droit au dégoût de soi. Du bonbon pour la salope qui en raffole, s'en régale, en redemande.

Je l'affronte, ce regard. Même si j'en tremble. Même si j'en frissonne. Même si la salope me supplie de partir en courant. M'assure qu'il est encore temps.

Je dois lui couper les vivres à cette salope.

— Je te demande pardon, Isabelle, de tout mon cœur, du fin fond de mon cœur.

Isa me sourit.

— Pardonne-toi, me répond-elle.

Puis elle me montre du doigt la vieille maison. Elle ajoute :

— Regarde bien. Cette maison n'est pas croche. Elle se penche pour admirer la vie qui pousse.

Je regarde la maison qui se penche... Je me souviens du rêve que j'ai fait, le matin où j'ai trouvé l'empreinte de la corneille à ma fenêtre : le coffre, les bouts de tissu, le fil d'or...

Recoudre les morceaux déchirés de mon histoire. Tous les morceaux.

— Isa, c'est toi qui m'as donné l'aiguille dans ce rêve ?

Elle me sourit.

— Non, Mandoline, c'est toi.

La réponse me bouleverse. Je regarde de nouveau la maison penchée. Je pense à Jennifer et à la petite fille au regard éteint dans l'auto du salaud. « Quand la vie te donne une deuxième chance, tu la remercies, tu retrousses tes manches et tu fonces ! »

Une sensation soudaine et bizarre me secoue. Je ne sais pas ce que c'est exactement. On dirait que les pensées qui traversent mon esprit deviennent lumineuses, chargées d'intensité.

Je demande à Isa : « Si un rêve très, très grand nous habite, tout à coup, est-ce que c'est complètement fou de s'imaginer qu'on peut le réaliser ? »

La corneille lâche un grand cri avant de s'en aller. Je sursaute. Isa a disparu. Mais elle m'a donné des ailes et je m'envole de ce banc.

Cent vingt-deux

Je ne marche pas sur le trottoir, je plane.

— T'as un beau cul, me lance un travailleur de la construction.

Je m'arrête et plonge mon regard dans le sien :

— Oui, je sais. On me l'a dit des milliers de fois, mais merci quand même ! Et dans cette jolie enveloppe, il y a un cœur qui bat, une tête qui pense et une âme qui sait où elle va !

Le type en a le bec cloué. Il me tourne le dos et se remet au travail. Ses collègues rigolent de lui :

— Ouais, tu te fais parler dans le casque à matin, mon Tony !

Je poursuis mon chemin d'un pas très, très décidé.

J'entre au poste de police d'un pas très, très décidé.

J'ai plusieurs dossiers urgents à régler...

Cent vingt-trois

— J e t'accorde cinq minutes, me dit Richard Lamer.

Cinq minutes, ce n'est pas beaucoup, mais c'est peut-être tout ce dont j'ai besoin.

Je ne perds pas de temps et je lui balance :

— Je m'appelle Mandoline. J'ai vingt et un ans. Je suis alcoolique et toxicomane... Il y a quelques années, j'avais une copine, junky comme moi. Coquelicot disait qu'elle voulait arrêter cette saloperie. Gerry, lui, me disait : « Tiens-toi loin d'elle. » J'ai écouté Gerry et Coquelicot est partie. Un soir, elle m'a téléphoné, en détresse. Elle m'a demandé d'aller la voir. Je ne pouvais pas. Le lendemain, on l'a trouvée dans son lit. Morte d'une *overdose*.

— Vous n'avez pas pu aller voir. C'est triste, mais vous n'êtes pas responsable de cette *overdose* qui a tué votre amie.

Rigoureuse honnêteté, Mandoline.

La vérité... Cette vérité toute nue, toute crue. Que je n'arrivais pas à m'avouer. Ça ne me tentait pas.

— La vérité, c'est que... ça ne me tentait pas.

Je baisse les yeux. Non, je ne les baisserai plus jamais. J'affronte le regard de cet homme, et je continue :

— Quand j'ai appris la mort de mon amie, je suis allée dans un grand magasin et j'ai volé un ourson en peluche. Ce jour-là, j'ai été arrêtée. Pas pour la mort d'Isa mais pour vol de toutou.

— Vous avez dit Isa ?

— Coquelicot, c'était son nom de danseuse.

Cent vingt-quatre

Lettre à celui qui fait mal aux petites filles

Robert-Pierre,

Je ne t'ai pas dénoncé pour me venger de ce que tu m'as fait. Mais pour protéger la petite fille au regard éteint que j'ai vue dans ton auto, le matin où on s'est croisés devant un dépanneur.

Mon désir d'aider cette petite fille me fait du bien, c'est vrai. Parce qu'en voulant la protéger, elle, j'ai le sentiment de prendre soin de l'adolescente de quatorze ans que j'étais, laissée en pâture, dans une cabine sur un paquebot.

Je voulais que tu connaisses les raisons qui m'ont poussée à agir.

Mandoline

P.-S. : Quelqu'un, avant moi, t'avait dénoncé, mais tu t'en es tiré. Nous sommes deux, à présent : Jojo, la fille de ton ex-femme, et moi. La liste n'est peut-être pas complète pour l'instant, mais je m'occupe de la mettre à jour.

Cent vingt-cinq

À Mandoline
Je prends l'enveloppe que Nicolas a laissée pour moi devant sa porte. Nous avions rendez-vous chez lui. Il a dû avoir un empêchement. Je suis déçue.

Mandoline,
Ce soir, il n'y aura pas de leçon de tango.

Mon rêve le plus cher pour nous deux, c'était que nous marchions ensemble, non pas dans les supplices de l'attente impatiente et dévastatrice, mais dans les délices de la patience aimante et complice. Ce rêve n'a pas changé.

Nous avons écouté de la musique ensemble, sans danser. Nous avons appris à marcher ensemble, sans musique, puis à marcher sur la musique, puis à danser pour vrai.

Ces leçons de tango, tu t'en doutes peut-être, je les ai proposées, entre autres, pour essayer de contrer ta peur de m'aimer et de jouir, pour susciter et nourrir ton désir de m'aimer et de jouir. Pour défaire cette équation : amour/désir/sexualité = abus/trahison/souffrance/malédiction/autodestruction.

Tu m'avais déjà dit : « Je jouais de mon corps, comme d'un instrument de musique, un air connu, toujours le même. » Cet air était malsain. Il te fallait désapprendre, et réapprendre autrement.

Je t'ai fait découvrir une musique, des pas et des mouvements. Je voulais t'allumer, puis entretenir ce feu de l'âme qui doit exciter le corps et réchauffer le cœur, pas les dévaster. Allumé par toi, je le suis depuis que j'ai posé mes yeux sur toi. Allumé, éclairé. Ne t'avais-je pas écrit : « Tu m'irradies » ?

Ce feu, je rêve de l'entretenir jusqu'à ce que tu me balances par la tête : « Je n'en peux plus de ne pas t'aimer ! » Jusqu'à ce que ton corps tout entier capitule. Non, pas capituler, puisque ce n'est pas une lutte. Jusqu'à ce que ton corps tout entier s'abandonne, puis s'ouvre et reçoive autant qu'il donne. Reçoive et donne, encore et encore.

Je me permets de t'écrire ce que Loulou m'a si souvent répété dans mes moments difficiles : « La vie est un cadeau, la peur, une porte fermée. Si tu n'ouvres pas la porte, tu ne peux pas savoir que le cadeau est dans la pièce d'à côté. »

Je ne voudrais surtout pas que tu te méprennes sur mes intentions : ce n'est pas une menace de rejet mais une promesse de plaisir, ce n'est pas un ultimatum mais une invitation.

As-tu envie de faire ce pas, Mandoline ? Si ta réponse est oui, frappe à ma porte.

Je t'aime

Nicolas

P.-S. : S'il te plaît, ne te sauve pas.

Je suis acculée au pied de la porte, et c'est moi qui décide si je veux qu'elle s'ouvre ou non. Ce pas à faire. Qui fait si peur.

Je laisse tomber.

Cent vingt-six

Je laisse tomber.
Mon blouson.
Ma blouse.
Tu ne comprends pas, Nicolas.
Pas encore.

J'ai frappé à ta porte
Et j'ai dit : « Chut. »
En poussant sur toi.
Tu as reculé. J'ai poussé encore. Jusqu'à ce que tu tombes assis sur le divan.
Puis j'ai mis un cd dans le lecteur.
Du blues.
Et j'ai laissé tomber.
Mon blouson et ma blouse.

À présent, tu comprends.
Mon jean glisse.
Doucement.
Tout doucement.
Et je ne te perds pas de vue, Nicolas. J'oblige mon regard à rester bien accroché à la douceur de tes yeux aimants, bourrés de désir et de lumière.
J'aperçois les serpents, au loin. Ils me guettent.

Elles n'attendent que ça, les sales bêtes, que je flanche, que je craque, que je recule, que je me sauve en courant, que je dise non à l'amour, que je dise non à la vie, que je me laisse tomber.

Je laisse tomber.
Mon soutien-gorge.
Ma petite culotte.

Sur le seuil, quand je lisais ta lettre, chaque parole bue m'inondait, Nicolas.
En dehors.
En dedans.
Oui, ma petite culotte, mouillée de mon désir d'amour
Oui, mon visage, mouillé des larmes de ma peur.
C'étaient des couteaux, avant, ces larmes-là, et je pensais que j'en mourrais.

Non, Nicolas, laisse-moi faire.
Ne viens pas me consoler.
S'il te plaît.
Ça prend beaucoup d'eau, tu sais, pour noyer les serpents.

Oui, je sais.
Vue de l'extérieur, je fais comme avant.
Quand j'étais gelée comme une balle et que je faisais payer les clients.
Il fallait qu'ils payent pour me ramper dessus, les serpents.

Toi, Nicolas, tu le sais ce qui est en train de se passer par en dedans.
Pas complètement, mais tu t'en doutes.
Laisse-moi pleurer, Nicolas.
Regarde-moi.

Je suis toute nue.
Je ne me laisse pas tomber.
Tu vois.

Je te le jure, Nicolas,
Sous ce Pont-La-Peur,
On verra flotter des cadavres de serpents.
Oui, ça coule à flots sur ma figure.
Mais continue, Nicolas.
Laisse-moi pleurer.
Laisse-moi danser.
Mais perds-moi pas de vue.

J'entrouvre les lèvres. Ma voix se donne à travers les larmes, grave, douce et chaude. Tout est doux et chaud aussi en moi. Et tiède. Et froid.
— Caresse-moi, Nicolas.

Mon amour et mon désir ne suffisent pas.
N'arrivent pas à se frayer un chemin en moi pour t'accueillir.
Mais continue, Nicolas,

— Caresse-moi.

Moi, je suis capable de me vendre, pas de me donner.
Capable d'être abandonnée, pas de m'abandonner.
C'est chien. Trouves-tu que c'est chien, Bob ? En tout cas, toi, t'es un chien sale !
Les autres, ils ont payé et je les ai pas sentis.
Toi, Bob Leroux, tu m'as volée et je t'ai subi.
À froid. À jeun.

Dehors, je suis passée à l'acte.
L'agresseur est dénoncé.

La procédure, engagée.
Tu le sais, Bob, je t'ai écrit.
Mais à l'intérieur, je le sais, la poursuite reste inachevée.

L'assassin revient toujours sur les lieux du crime.
— Chut! qu'il disait.

Je dois retourner.
Moi aussi.
Au milieu de l'océan.
Sur ce paquebot.
Dans cette cabine.
Avec ma petite sœur comme témoin.

Juste un mauvais moment à passer.

Moi, si je m'ouvre, j'ai l'impression d'être dépecée par un boucher qui porte des gants et qui s'amuse avec mon sang.
— Chut! que tu me disais, sur le bateau, en invitant le corbeau à manger mes yeux.

— Fais pas ça, Bob! S'il te plaît!

Une main sur ma bouche, l'autre sur mes seins. Lâche-moi, maudit cochon! Tu me fais mal! Ta grosse queue me défonce le ventre. J'étouffe ma colère. Je ravale ma peur, mon dégoût et ma honte. Mais qu'est-ce que la honte vient faire ici? Quand quelqu'un se fait cambrioler, est-ce qu'il a honte? Si un homme se fait attaquer, est-ce qu'il a honte? Alors pourquoi une fille qui se fait violer a honte, d'abord? Ça ne tient pas debout!
Pourquoi je me sauve pas? Cours, Mandoline! Vite! Sacre ton camp!

Faut pas que ma petite sœur voie ça. Faut pas qu'Aude se réveille. Ta gueule! Endure, qu'on en finisse! Juste un mauvais moment. Après, t'auras juste à l'oublier.

C'est pas comme ça que ça se passe.

— Chut!

Le serpent crache son poison. Je suis sale de toi, Bob. Noyée dans le venin que la vipère a répandu en moi. Pourquoi j'ai pas hurlé? Pourquoi je t'ai laissé faire? La peur a bouffé mon courage. Pourquoi elle est si forte, la peur? Maintenant, relève-toi, ma belle, et continue à vivre, c'est tout. C'est pas comme ça que ça se passe, Mandoline. Tu le sais. Tes pas ne seront plus jamais les mêmes. Tes jambes joueront à faire semblant. À cause de cette saleté entre tes cuisses ouvertes et forcées. Petite décharge de mort subite.

Une fille de 14 ans vient de mourir sur la couchette d'une cabine du Vaisseau d'Or.

— Chut!

— Non, toi, ta gueule!

Maintenant écoute-moi, Robert-Pierre Leroux. Il y a une ado qui hurle: « Fais pas ça, Bob! »

Tu l'entends pas?

Et regarde, il y a une petite fille qui ne dort pas, juste à côté. Tu lui fais mal, à elle aussi.

— Fais pas ça, Bob, s'il te plaît.

Non, tu n'entends pas. Tu n'écoutes pas. Tu continues de te la couler douce. Tu continues d'éteindre les regards des petites filles comme si de rien n'était. Comme si ce n'était pas grave. Et on continue de fermer les yeux. Parce que tu as de l'influence.

Qu'est-ce que ça peut bien faire, après tout, un regard éteint de petite fille, et quelques serpents qui font peur à l'amour dans le ventre d'une fille comme moi, hein, Bob? Il y a des choses tellement plus importantes dans la vie, pas vrai? Des affaires vraiment, vraiment importantes : tes dossiers au ministère, ton standing, ta retraite assurée. Ton plaisir. Ça, c'est vraiment, vraiment important. Le reste, tu t'en fous! Tu es tellement au-dessus de tout ça, de toute façon. Mais...

Ça, c'est la fille aux serpents grouillants, dans la cabine d'un gros paquebot.

Ça, c'est Jojo, la fille de ton ex-femme. Elle t'avait dénoncé, mais tu t'en es tiré, et le secret dévoilé a pris des allures de mensonge aux yeux du monde.

Ça, c'est la petite fille au regard éteint que j'ai vue dans ta grosse bagnole de salaud.

Ça, c'est tellement pas grand-chose, pas vrai?

Ton petit pouvoir de bureaucrate qui brasse de la paperasse, tu as cru que tu l'avais aussi entre les jambes. Mais tu t'es leurré, Bob. M'entends-tu, monsieur Robert-Pierre Leroux? «On ne saigne pas les petites filles comme on signe des documents.»

Je t'haïs, Bob Leroux!
Je t'en veux!
Je te veux du mal!
Je voudrais donc l'éteindre, ton regard de chien sale!
Et te promettre un chien de ma chienne!
Oui, Bob.
Éteindre ton regard de chien sale qui s'en lave les mains!
Te couper les mains, t'arracher la queue.
Maudits serpents grouillants et venimeux.
Qui grouillent encore sur mon ventre.
Qui crachent encore leur venin dans mon ventre de fille-pas-capable-de-se-laisser-aimer.

Nicolas s'arrête. Je sais qu'il est très mal à l'aise. Parce que les serpents repassent par ses mains. Des mains douces et aimantes, pourtant.

Je le supplie :

— Continue. S'il te plaît, continue.

De petites larmes roulent dans ses yeux doux. Bouleversé, hésitant, il demande :

— Tu es sûre ?

Je lui fais signe que oui. Avec insistance.

Oui, les serpents se cachent dans les caresses de Nicolas.
S'en vont.
Reviennent.
Sous les mains de Nicolas.
Se cachent dans ses caresses.
Repartent.
Reviennent. Manquent d'air.
Ou d'eau.
Ils vont finir par crever, ostifi !

Regarde, Bob !
J'ai dit : « Regarde ! »

J'ai la rage.
C'est un feu terrible,
Qui flambe haut et fort,
Trouves-tu, Bob, qu'il fait chaud ?
Mais je te le jure :
Ces flammes-là, c'est pas moi qu'elles vont dévaster !

— Non, berce-moi pas, Nicolas !
Faut pas que je m'endorme.

Laisse-moi hurler.
Laisse-moi rager.
Laisse-moi baver.
Cracher le venin.

Je te promets un chien de ma chienne, Bob !
À froid. À jeun.

Oui.
À froid. À jeun.
Je te coupe les mains.
Je t'arrache la queue.
Et je les lance au feu.
Un feu terrible,
Qui flambe haut et fort,
Je te le promets.

Les serpents ne crèvent pas.
Ils ressortent du feu.
À la queue leu leu.

Je crie :
— Je n'en peux plus, Nicolas ! Je n'en peux plus de ne pas t'aimer !

Cent vingt-sept

Nicolas est en sueur. Moi aussi. Bob est parti. Je l'ai chassé. Non, brisé. Je dis tout bas :

— Nicolas, on est juste nous deux, maintenant.

— Et on a tout notre temps, ma belle.

— Embrasse-moi.

Nicolas prend ma tête entre ses mains et pose ses lèvres sur mes cheveux. Sa bouche glisse avec douceur, caresse mon oreille, effleure ma joue, s'arrête.

Nicolas me regarde longuement, ma tête entre ses mains. Mes yeux lui disent : « OK, continue. »

Sa belle bouche donne de tous petits bisous sur mon front, mon nez, mon menton. Son souffle m'enveloppe. Son regard, à nouveau, me demande si ça va. Oui, répond le mien.

Nicolas me sourit.

— On va jouer, Mandoline.

— À quoi ?

— À la chatte et au chaton.

— Je ne connais pas ce jeu-là.

Nicolas miaule. Il frotte sa tête contre moi. Il me lèche. Tout doucement.

— C'est ta douleur que je lèche, Mandoline.

Le chaton, c'est moi. Tu es la chatte qui me nettoie à petits coups de langue.

Je suis toute propre. Nicolas flatte mes cheveux. Je ronronne.
— Nicolas, est-ce que les serpents ont peur des chats ?
— Je ne sais pas.

Puis ses lèvres frôlent mes lèvres avec tant de lenteur douce. Mon cœur se met à battre vite, vite.

Les lèvres de Nicolas s'entrouvrent. Juste un peu. Elles s'amusent à prendre ma lèvre inférieure. Je frémis. Je veux que sa langue prenne ma bouche tout entière.

C'est moi qui pars à la conquête de sa bouche. C'est ma langue qui oblige ses lèvres à s'ouvrir grand. Mes mains s'enfouissent dans sa crinière, s'enroulent dans les boucles. Nos langues hurlent de plaisir. Les battements fous de mon cœur résonnent dans mes oreilles. Mon corps s'embrase. Éternité de chaleur, de moiteur, de petits gémissements, de soubresauts. J'ai terriblement chaud.

— Te rappelles-tu, Nicolas, quand je t'ai avoué que je n'avais jamais fait l'amour à jeun ? Tu m'avais répondu : « Un jour, ce sera la première fois. J'aimerais que ce soit avec moi. Mais quand tu voudras. » Cette nuit, je veux.

Je le regarde dans les yeux en déboutonnant sa chemise.
— C'est pas juste. Y a juste moi qui suis toute nue.

Nicolas frémit. Je retire sa chemise, la jette par terre. Nicolas me sourit, pose sa main sur mon cou, caresse ma nuque. Son regard, aux aguets.

Nous revoici à l'entrée du Pont-La-Peur. La salope se pointe. Elle veut que je revienne en arrière, qu'on recommence à zéro, que je redevienne une moins que rien. Elle me chuchote des mots sales : « Tu vas te faire avoir ! Qu'est-ce que tu crois ? Qu'un gars comme Nicolas t'aime vraiment ? »

Tout s'embrouille dans ma tête : idées, images, émotions, sensations. Je redeviens perdue. J'ai peur de me briser.

— Nicolas, dis-moi que tu m'aimes. Vite, dis-le moi, OK ?

— Je t'aime, Mandoline. Je t'aime tellement.

Dis-le encore. Ça prend beaucoup, beaucoup de mots d'amour pour enterrer les mots qui puent.

Je crois à tes mots qui me caressent. Je vibre à tes caresses qui me parlent. La salope se fâche. Il faut absolument qu'elle déguerpisse. Sinon, je fais comment pour avancer encore d'un pas sur le Pont-Nous-Deux ? Est-ce que je réussirai vraiment à le traverser, ce pont, dis-moi ? Toi, tu le crois ?

Nicolas retire sa main. Je l'attrape et la plaque sur moi.

— Je suis encore perdue mais je veux que tu me touches.

Le cercle vicieux de la souffrance. On entre dedans et on tourne en rond. On tourne, on tourne. À l'infini.

— Qu'est-ce qui se passe, ma belle ?

Bob parti, on s'éprend d'un Gerry. Parce qu'il peut nous fournir la trousse essentielle à notre survie : les serpents et l'anesthésie.

— Je pense trop.

Nicolas me chuchote :

— Parle-moi.

— OK, mais touche-moi.

Après Bob, pourquoi je me suis retrouvée avec Gerry ? Pourquoi une fille qui se fait violer s'oblige ensuite à revivre ce qui lui a fait si mal, hein ? Parce qu'elle s'imagine qu'à force de chasser les serpents, le jour viendra où il n'y en aura plus du tout. Ce jour-là, elle sera en sécurité. Mais... Pour ne pas sentir les serpents grouiller en elle, la fille a besoin de se geler la face.

La salope me souffle : « Ton beau Nicolas va finir par s'écœurer d'écouter tes bouts d'histoire tordue ! » Je me tais. Et si cette fois, elle avait raison ?

— Excuse-moi, Nicolas.

Il fronce les sourcils et me demande :

— Pourquoi tu t'excuses ?

— Je pensais que ça serait moins compliqué de traverser le Pont-Nous-Deux. Toi, tu m'attends avec ta patience d'ange...

Nicolas met sa main sur ma bouche.

— Non, Mandoline, avec ma patience d'homme qui t'aime.

Cette phrase me pousse au bord des larmes. Nicolas donne deux petits coups de langue aux coins de mes yeux. Une grosse boule dans ma gorge fait trembler ma voix :

— Alors, touche-moi avec tes mains d'homme qui m'aime.

La main de Nicolas descend et s'arrête sur mon cœur.

— Mandoline, tandis que j'y pense...

Il suspend sa réplique. J'ai presque peur. Nicolas me lance :

— J'ai un message urgent pour la salope. Dis-lui donc de ma part que tu es aimable, aimante, aimée, belle, intelligente et désirable. En prime, tu sens bon et tu goûtes bon. Ma vie a besoin de ces richesses naturelles inestimables, et en ce qui me concerne, c'est non négociable. Voilà !

Et vlan ! Tiens, la salope, mets ça dans ta pipe, OK ! Je saute au cou de Nicolas.

— Tu es vraiment adorable, toi.

Je souris. Je souris tellement que j'ai l'impression que la peau de mon visage va se déchirer. J'ajoute :

— Tandis que j'y pense... Est-ce que moi, je te l'ai dit ?

— Dire quoi ?

— Je t'aime, Nicolas.

— C'est une question ou une déclaration ?

— Les deux.

— Dis-le encore.

— Je t'aime, Nicolas. Ostifi que je t'aime !

— *Yo también, mi amor.*

Je m'exclame :

— Nicolas, j'ai une idée géniale ! Une stratégie, en fait. Continue de me parler d'amour en espagnol. La salope n'est pas bilingue !

Nous pouffons de rire. Cette bouffée de légèreté est franchement bienvenue.

Je glisse ma main dans la sienne.

— Viens, Nicolas.

~

Je l'entraîne. Dans sa chambre.

Je veux sentir le poids de son corps contre le mien. Le poids de la douceur, du respect, du désir, du plaisir.

~

Nicolas plonge son regard dans le mien. Je chancelle. Lui aussi. Je descends la fermeture éclair de sa braguette, l'aide à retirer son jean.

Je m'offre sans me vendre.

Nicolas s'empare de ma bouche, d'abord avec tendresse puis avec fougue. J'en ai le souffle coupé.

Il me soulève, m'embrasse et me dépose sur le lit. Je me presse contre lui. Avec ses mains, ses lèvres, sa langue, il peint sur ma peau des images qui glissent jusqu'à mon cœur.

Je murmure :

— Je veux que ces images s'impriment.

— Se fossilisent. C'est plus durable, me dis-tu.

Je réplique :

— Fossilise-moi d'amour tant que tu voudras, ostifi.

Je m'ouvre sans saigner. Nicolas entre en moi, très, très délicatement en prononçant mon prénom. Puis il répète :

— Mandoline. Ma belle. Oh ! Mon amour.

Ce chant me bouleverse.

— Encore.

— Mon amour, mon amour, mon amour.

Cette danse me transporte de l'autre côté du Pont-Nous-Deux, ce pays de jouissance où on ne va pas seule ni sans amour. Nicolas tapisse mon ventre de beautés inouïes. C'en est effrayant tellement c'est bon.

Avant, je jouais de mon corps, un air connu, toujours le même, cet air était malsain, tu te rappelles, Nicolas ?

Là où j'avais mal, à cet endroit précis de la douleur, je jouis. Nicolas, entends-tu mon cri ? Je jouis ! Ce plaisir neuf, est-ce qu'il efface les vieilles souffrances ?

— On l'a bien mérité, ce bonheur ostifi !

D'abord, tu ris. Puis tu souris. Moi, je vibre dans les bras du plus beau gars de la terre.

~

Pourquoi tu pleures, Nicolas ? C'est mon plaisir qui t'arrache des larmes ?

— Tu es tellement belle quand tu hurles de plaisir !

— Tu pleures de beauté ?

— Qu'est-ce que tu dis ?

— Je te raconterai.

C'est moi maintenant qui bois tes larmes.

~

Avant, j'avais toujours hâte que ça finisse. Le plaisir, ou quelque chose qui lui ressemble, c'était toujours avant que le serpent s'immisce en moi. Quand je ne savais pas si j'allais réussir à séduire un gars. J'aimais chasser. Je mouillais comme on salive avant un bon repas, mais... Une fois le gars en moi, je me dépêchais de l'exciter au maximum pour qu'il vienne le plus vite possible. Pour qu'on en finisse ! C'était même pas bon, cette partie-là de l'histoire. Alors tu comprends, Nicolas, que ça me fait tout drôle de ne pas avoir hâte que tu te retires. C'est bizarre d'aimer cette sensation de toi en moi.

J'ai le vertige. On dirait que je vais mourir.

Oui, une petite mort, encore. Elle laisse tout plein d'empreintes de bonheur... Là où les serpents rampaient avant.

— Prends-moi encore. Dis-moi que je goûte bon et que tu en veux encore. Je suis toute à toi sans me perdre, sans me cacher dans un recoin où je suis sûre qu'on ne me trouvera pas.

~

Je ne suis plus toute seule, Nicolas. Ni toute petite ni perdue ni abandonnée en moi, avec des hommes qui mangent ma peau et volent mon âme. Je suis avec toi, Nicolas. Tu me touches, partout, je respire fort, toi aussi.

— Pourquoi tu ris ?

— Tu me chatouilles.

~

Ta tête entre mes cuisses offertes, tu me goûtes et tu m'aimes. Mon ventre n'est plus une poubelle mais le plus beau des écrins. Mon sexe, un diamant qui brille. Ma jouissance, pure lumière. Et cette lumière, le plus long et le plus intense cri de joie.

Tu me berces. Je te *strip*. On tangue haut.

~

— Donne-moi une minute pour reprendre mon souffle. Je me sauve pas, je te le jure.

Un petit banc où s'asseoir pour reprendre son souffle après avoir couru longtemps. S'asseoir ensemble et se tenir la main.

— Qu'est-ce que tu fais ? me demande Nicolas.
— C'est à mon tour, maintenant, de te prendre, de te goûter partout, d'aimer chaque parcelle de toi.

~

— J'ai un petit creux. Je mangerais bien deux ou trois petites *toasts* trempées dans du chocolat chaud, pas toi ?
— Adjugé, ma plus-que-belle. Après tout, c'est presque l'heure de déjeuner.
— Ostifi, le soleil commence à se lever !
Une corneille passe près de la fenêtre en nous criant : « Joyeux matin ! » Nicolas a sursauté.
— Tu parles d'une heure pour croasser ! s'exclame-t-il.
— Grailler, mon cher. Les corneilles ne croassent pas.
— Je l'ignorais.
— C'est dans ton magazine que je l'ai appris.

Une corneille, à mon réveil, me rappelle que les appels ne sont pas tous entendus du premier coup...

~

Prière au cas où vous existeriez...
    Dieu, Déesse, anges et fées de l'amour,
    Pour cette nuit divine, magique, féerique : MERCI.

— You, hou! Ça va, ma belle?
— Oui, oui. Je m'accordais une petite pause-gratitude. Et je prendrais bien une troisième petite *toast*.

~

— Peut-on renaître en une nuit, dis-moi?
Tu me parles d'un oiseau fabuleux qui renaît de ses cendres : le phénix.
— Nicolas, est-ce que les serpents ont peur des phénix?
— Je suis sûr que oui.
— Moi aussi.
Je vole jusqu'à toi, glisse ma main dans la tienne.
— Ferme les yeux, Nicolas, et regarde. Les serpents, à la queue leu leu, se transforment en un long, un très long fil d'or. Pour me lier à toi.

Cent vingt-huit

C'est mon bonheur tout neuf qui me réveille. Nicolas dort encore.

Quelle nuit étrange nous avons passée ! Nuit de houle qui chamboule. Nuit de guerre et de paix. La nuit de tous les dangers, de toutes les tempêtes, de toutes les peurs, de toutes les douleurs, de toutes les magies, de toutes les fatigues, de tous les plaisirs, de toutes les délivrances, de toutes les espérances, de toutes les jouissances.

Je n'avais jamais traversé de Pont-La-Peur aussi long ni aussi haut. À l'extérieur. À l'intérieur.

Nicolas, élu de mon cœur à l'unanimité, tu souris en dormant.

Si nous étions chez moi, j'irais piger dans le coffre à bijoux-de-mots de Claire. Je dois donc me contenter de mes propres pensées. Mais elles sont si joyeuses, ce matin.

J'ai marché longtemps à tâtons, toute seule, dans le vide et le noir : marché, couru, trébuché. Maintenant. Je danse. Le tango. Avec Nicolas. J'ai pris bien soin de découper ma phrase en quatre parce que chaque morceau est important. Quatre temps. Découper puis relier ces morceaux avec le fil d'or : maintenant je danse le tango avec Nicolas.

Très inspirée, tout à coup, je chuchote à l'oreille de Nicolas, mais vraiment tout bas pour ne pas le réveiller :

— Le tango, c'est apprendre à marcher avec l'autre dans l'espérance, sur un air d'aller de l'avant. Mais d'abord, il faut se tenir debout. Voilà ma définition du tango. Je te la répéterai quand tu te réveilleras.

Pour l'instant, je devrais la noter pour ne pas l'oublier.

Je m'apprête à sortir du lit.

Légers grognements. Les yeux de mon amour s'entrouvrent. Son sourire s'agrandit. Sa jolie bouche marmonne :

— Tu veux répéter, avant que je te saute dessus ?

Troisième Partie

L'Effet tournesol

« Il n'existe que deux façons de vivre :
comme si rien n'était un miracle,
ou comme si tout en était un. »
Albert Einstein

Quatre ans plus tard

Cent vingt-neuf

Claire rassure Mandoline :
— Ça va très bien se passer, je te le promets.
Mandoline rassure ensuite Jennifer :
— Je te jure que ça va bien aller, ostifi !
Le fil d'or, c'est aussi une chaîne d'amour.

~

— La personne que j'ai choisie pour le partage de ce soir, je l'aime comme une sœur. Pas vrai. Je trouve ça plus facile de l'aimer que ma sœur. Enfin... Je suis très heureuse de vous présenter mon amie Jennifer.

Cent trente

« **O**uf ! C'est gênant de se retrouver en avant, mais bonsoir quand même. Je suis Jennifer, alcoolique et toxicomane. Fille de parents alcooliques, aussi. Je le souligne, parce que plus ça va, plus je me rends compte que j'avais des problèmes de comportement bien avant de consommer. Quand j'étais petite, j'avais l'impression d'avoir attrapé la peur et la honte. Comme d'autres attrapent le cancer ou le sida. Je ne pouvais pas savoir, dans ce temps-là, que c'étaient les ravages de l'alcoolisme... de quelqu'un d'autre. Pendant toute mon enfance, ce n'est pas compliqué, j'ai été obsédée par deux questions : "Qu'est-ce que j'ai que les autres n'ont pas ? Qu'est-ce que les autres ont que moi je n'ai pas ?"

J'ai commencé à consommer à la fin de l'école primaire. C'est le père d'un élève de ma classe qui nous vendait la drogue. L'alcool, ça coulait à flots, chez nous.

À seize ans, ça faisait longtemps que je n'avais plus de chez moi. J'étais convaincue que la vie ne valait pas la peine d'être vécue, alors je la gaspillais. Et plus je la gaspillais, plus j'étais convaincue qu'elle ne valait pas la peine d'être vécue.

Un jour, j'étais couchée sur un banc, dans un parc. Complètement défoncée. Une fille toute belle et toute propre est arrivée. Elle m'a parlé. Je l'ai engueulée. C'est tout ce que je me souviens de cette rencontre.

Un soir, j'étais dans une piquerie. J'avais décidé d'en finir. Ça, c'était clair. J'ai ouvert le sachet, j'ai mis la poudre dans la cuillère et un bout de papier est tombé dessus. Demandez-moi pas d'où il sortait, mais il était sur la cuillère, avec un prénom, un numéro de téléphone *et une adresse électronique. Tout à coup, j'ai entendu : "Au cas où tu voudrais t'en sortir." Je me rappelais à peine la fille du parc, mais je n'ai pas réfléchi et j'ai quitté la piquerie. Je me suis retrouvée dans une cabine téléphonique. J'ai dû la chercher, cette cabine, mais je m'en souviens pas. Là, j'ai composé le numéro écrit sur le papier. Vous me croirez peut-être pas, mais savez-vous combien j'avais d'argent dans mes poches? Vingt-cinq cents.*

Une femme m'a répondu. Ce n'était pas la fille du parc, mais elle me l'a passée. La fille m'a dit que j'avais bien fait d'appeler et qu'elle s'en venait me chercher.

Quand j'ai raccroché, j'ai commencé à compter les secondes. Pas les minutes, les secondes. Je repoussais mon suicide à la seconde suivante. Quand la fille du parc est arrivée avec son amie, quinze minutes plus tard, ça faisait neuf cent sept fois que je reportais mon plan d'en finir.

La fille et son amie m'ont conduite dans un centre de désintox. Quand je suis sortie, j'avais pas de place où aller. C'est bien beau, la sobriété, mais si tu n'as nulle part où aller pour te réintégrer, tu fais dur. Et la réalité est trop dure pour que tu aies envie de te réintégrer.

La fille du parc et la femme chez qui elle habitait m'ont hébergée. Elles ne m'ont pas juste hébergée; elles ont pris soin de moi. Et elles m'ont amenée à une réunion des Alcooliques anonymes.

J'ai trouvé de l'espoir dans la fraternité. J'ai dit "trouvé", pas "retrouvé". De l'espoir, je ne me rappelle pas en avoir eu avant de venir ici. Ça prend de l'espoir pour faire avancer les rêves. Aujourd'hui, j'accomplis des choses que j'ai même jamais osé imaginer. Et ça me donne le goût de l'avenir.

Mes rêves, je les réalise, en me servant des douze étapes, un jour à la fois. Des fois, une minute à la fois. Vingt-quatre heures, ça fait mille quatre cent quarante minutes. Il y a des journées plus difficiles que d'autres!

La fille du parc, c'est Mandoline. Moi aussi, je l'aime comme une sœur. C'est la grande sœur que je n'ai jamais eue et que je me suis choisie. C'est aussi ma marraine. Je l'aime, vous n'avez pas idée. Je me trouve tellement chanceuse qu'elle fasse partie de ma vie. Tellement chanceuse qu'elle m'ait tendu... ce petit bout de papier, ce jour-là, au parc. Chanceuse, aussi, qu'elle ait déménagé. C'est moi, maintenant, qui occupe son ancienne chambre, chez une membre merveilleuse qui me fait un bien fou, elle aussi.

Ma marraine m'a souvent répété : " Il n'y a personne qui peut changer le monde à lui tout seul, mais tout le monde peut aider quelqu'un. " Ce soir, j'espère que j'ai aidé quelqu'un, ne serait-ce qu'un tout petit peu. Quelqu'un qui aidera quelqu'un qui aidera quelqu'un... je pourrais continuer ma phrase jusqu'à demain matin, mais je vais l'arrêter là.

C'est tout. Merci. »

Cent trente et un

Huit heures quarante-quatre ! J'ai pourtant entendu le réveil sonner. Mais qu'est-ce qui m'arrive ?

Secoue-toi, ma vieille !

C'est la première fois que j'arriverai en retard au travail.

~

Il se tourne, descend les marches. Mon cœur s'énerve.

Je ne me suis pas trompée, c'est lui.

Je vais à sa rencontre et pose ma main sur son bras :

— Je t'offre un café ?

Mon père fait non de la tête.

— Juste une gorgée ?

Il fait : « Chut. » Descend la dernière marche. Me regarde. Avec des yeux aimants. Ça ne trompe pas, un regard pareil.

Remarque-t-il l'alliance de maman à mon doigt ? La reconnaît-il ? Il me prend la main et l'embrasse.

— Adieu, belle demoiselle d'amour, me dit-il.

Je réplique aussitôt :

— Pourquoi ?

Ses épaules se soulèvent.

Il me tourne le dos et s'en va. J'ai envie de le rattraper pour lui demander : « Pourquoi tu es revenu, d'abord, si c'est pour repartir encore ? » Je cours derrière lui, mais les mots qui s'échappent de ma bouche ne sont pas ceux que j'avais prévus :

— Papa, c'est gentil d'être venu me dire «Adieu».

C'est si étrange que ça se passe pour de vrai, aujourd'hui. Cet adieu-là, je l'ai tellement pleuré dans cet espace qui n'est pas le rêve ni la réalité...

Regarde, papa, il n'y a plus de jus de peine en moi pour ça. Mais vois-tu la jolie fleur qui pousse sur mon visage? On appelle ça un sourire.

Il y a de l'eau dans ses yeux, un tout petit peu d'eau, quand il poursuit sa route.

~

Je monte les marches, ouvre la boîte aux lettres. Pas de courrier. Mais au fond, sur un morceau de carton, un mot de mon père. Je m'assois dans l'escalier.

Petite Douceur,
Je suis fier de toi en ostifi...

Quoi? Son patois, c'est ostifi? Ça me fait chaud au cœur comme-ça-se-peut-pas!

Quand je vois où tu es rendue aujourd'hui, je me dis que, malgré tout, je t'ai peut-être pas juste donné de la misère. En tout cas, ça me fait du bien de le penser.
Continue de prendre soin de toi, Petite Douceur.

Pourquoi tu n'as pas signé, papa? Parce que tu n'as plus d'identité?

Est-ce que je saurai un jour pourquoi tu nous as abandonnées? Tu n'as pas idée comme j'ai talonné maman pour qu'elle me le dise. Elle a juré sur la tête de ses deux filles qu'elle l'ignorait. «Et le fait de pas savoir, ça m'a rendue malade, tu sauras!» m'a-t-elle confié.

Papa, est-ce qu'un jour tu reviendras me dire pourquoi? Si ce n'est pas une nécessité à mon bonheur, ça serait un luxe très apprécié de le savoir.

Cent trente-deux

— Ah, Mandoline ! C'est fou, depuis ce matin, le téléphone ne dérougit pas !

— Je m'excuse d'arriver si tard.

— Pas grave. Tiens, me dit Jennifer en me donnant la pile de messages. Ta mère, ta belle-mère, ta sœur, Claire, Sara, Paul, Maruska, et un certain Abdul Wawaquelquechose. Il a dit que c'était...

— Mon ancien prof de français. Il s'appelle Abdi Mouawad.

Jennifer me tend le journal.

— Tu l'as lu ? me demande-t-elle.

— Pas encore.

Jennifer ajoute :

— Je suis très fière de toi, Mandoline. Et je te jure que ça m'a fait un petit velours de voir que tu avais parlé de moi....

— C'est paru ce matin ? Je ne le savais pas. Écoute, je ne suis vraiment pas dans mon assiette...

Le téléphone sonne.

— Laisse, me dit Jennifer en quittant la pièce en vitesse.

Je m'assois, ouvre le journal. La tête dans le cadre de porte, Jennifer me dit :

— Excuse-moi. Au bout du fil, il y a un dénommé Marco. Il m'a demandé de te préciser : celui qui t'a appris à jouer au billard.

Ce Marco-là !

— OK, je le prends.

— Mandoline ?

— Salut, Marco. Ça me fait vraiment très plaisir de t'entendre. Qu'est-ce que tu deviens?

— Ah, ça, ma vieille, juste de faire un résumé, ça serait long en tit péché! Mais si je t'ai appelée, c'est pour deux raisons. La première, félicitations. Tu en as fait du chemin depuis la dernière fois que je t'ai vue. La deuxième raison : est-ce qu'il y aurait une petite place pour moi chez vous?

Cent trente-trois

La fée de La Maison Penchée
Par Sofia Sarnati

Ce qui aurait pu être un combat à la Don Quichotte s'est avéré un projet béni des dieux.

Elle, c'est Mandoline Tétrault, alcoolique et toxicomane. Mais elle se soigne.

Elle avait fait parler d'elle, il y a quelques années, lors du procès de Robert-Pierre Leroux, ce haut fonctionnaire qui a été emprisonné pour attentats à la pudeur, attouchements sur des mineures et agressions sur des mineures. Mandoline l'avait dénoncé. Pas pour se venger de son agresseur, tient-elle à préciser, mais pour protéger une petite fille au regard éteint qu'elle avait vue dans l'auto de l'inculpé.

Lui, c'est Richard Lamer, cinquante-deux ans, homme d'affaires prospère. Il avait acheté une vieille maison. Il s'apprêtait à la faire démolir pour y construire des condos de luxe quand, un midi, une jeune femme a foncé dans son bureau.

Il lui a accordé cinq minutes de son précieux temps. Cinq petites minutes, c'est tout ce dont la jeune femme disposait pour lui faire part de son projet, de son rêve, de l'illumination qu'elle avait eue, elle, en une fraction de seconde.

Avant cette fraction de seconde, Mandoline n'avait aucune idée de ce qu'elle voulait faire dans la vie. Elle s'apprêtait à terminer ses études secondaires qu'elle avait abandonnées, à quinze ans, pour se consacrer à temps plein à son autodestruction.

Les cinq minutes écoulées, l'homme d'affaires a changé ses plans. Il n'y a pas eu de condos de luxe. La vieille maison croche n'a pas été démolie. Elle est devenue La Maison Penchée : une maison qui accueille des jeunes sans abri à leur sortie d'une cure de désintoxication.

« Comme le dit si bien mon amie et adjointe Jennifer : "À quoi il sert, le kit sobriété/lucidité, si tu n'as nulle part où aller ?" On a tous besoin de savoir qu'on est quelqu'un qui va quelque part », affirme la jeune fondatrice, qui consacre aussi beaucoup de temps à ses conférences sur la prévention contre les abus de toutes sortes.

Pourquoi Richard Lamer a-t-il changé son fusil d'épaule aussi rapidement après sa rencontre avec Mandoline ? « Ma fille est morte d'une overdose, je n'avais jamais réussi à en faire le deuil et je noyais ma peine dans le travail. Mandoline, c'est la fée qui m'a tendu la perche dont j'avais besoin. Le cœur a ses raisons que la raison n'ignore pas toujours », a confié le père très ému.

Il est mentionné, au début de cet article, que ce projet était béni des dieux. Il existe une Maison Penchée dans cette ville, une autre dans le midi de la France et une autre en Californie. Bientôt, une quatrième ouvrira ses portes, à Mexico. Et d'autres projets sont présentement en négociation. Pour d'autres villes, dans d'autres pays, sur d'autres continents.

Demandez à la fée de La Maison Penchée de se définir en quelques mots. La réponse surgit subito presto : « Semeuse d'espoir, ostifi ! »

« Ce petit peu de nous doit pousser partout où la vie veut le faire croître. Pourquoi ? Parce que c'est son but, à la vie, de faire pousser. »

Si vous passez devant la vieille maison, à la fin de l'été, vous aurez peut-être l'impression qu'elle se penche vraiment pour admirer les tournesols.

Sur une plaque dorée, près de la porte d'entrée, on peut justement lire :

Cette maison n'est pas croche. Elle se penche sur l'essentiel : la vie qui pousse.

Cent trente-quatre

— Sara Lemieux, on vous verra bientôt à l'écran dans *Les Chambres de bois* : un film de Manon Villeneuve, adapté du roman d'Anne Hébert. Vous avez aussi publié un roman, *La Lumière blanche*, une variation sur le thème de *Roméo et Juliette*. Dans le communiqué de presse, il est dit que vous aviez joué Juliette dans la troupe de théâtre amateur de votre école. C'est ce qui vous a inspiré *La Lumière blanche* ?

— Vous savez, Christiane, *La Lumière blanche* est une histoire à peine inventée.

— Est-ce la raison pour laquelle votre Juliette a la vie sauve, contrairement à celle de Shakespeare ?

— Vous avez tout compris, Christiane : si ma Juliette n'avait pas survécu, je ne serais pas ici pour vous en parler.

— Y aura-t-il une suite à *La Lumière blanche* ?

— Peut-être.

— C'est à suivre, alors. Sara, vous êtes comédienne et romancière. Vous êtes aussi porte-parole de La Maison Penchée qui vient en aide à de jeunes désintoxiqués sans abri...

— Oui. C'est une cause qui me tient profondément à cœur. Mandoline Tétrault, celle qui a fondé cette maison, était ma meilleure amie au secondaire. Elle m'a beaucoup aidée, d'ailleurs, lorsque j'ai vécu le drame que j'ai transposé dans mon roman. Je suis très sensible à la souffrance des adolescents. Il y a un proverbe chinois qui dit : *On enseigne ce qu'on a le plus besoin d'apprendre.*

— D'après vous, Sara, l'espoir est quelque chose qui s'apprend ?

— Je ne peux pas parler pour les autres. Mais en ce qui me concerne, je vous réponds : « Oui. » En tout cas, moi, je l'ai appris. Mon amie Mandoline aussi. Et chacune à notre façon, on a envie de semer des graines. Est-ce qu'elles fleuriront ? On ne le sait pas, mais on est convaincues que ça vaut le coup de les semer.

— Sara Lemieux, merci beaucoup.

— C'est moi qui vous remercie, Christiane.

Cent trente-cinq

Nicolas se lève pour préparer le souper. J'éteins la télé.

— Sara est une sacrée bonne porte-parole. Elle est tellement belle, en plus. Tu ne trouves pas?

Nicolas se retourne :

— Elle n'est pas mal, c'est vrai. Mais pas aussi belle que toi...

Je réplique :

— Arrête donc de dire des conneries.

— C'est pas des conneries! Je t'interdis d'insulter mon regard! On dirait qu'il est fâché.

— Non, je ne suis pas fâché. Je suis sérieux, ce n'est pas pareil! Sérieux et affamé!

Et il file à la cuisine.

~

Elle m'a demandé ce midi : «Ce soir, pense à moi très fort, d'accord?»

Elle a un rendez-vous galant. Avec un homme charmant. Qui veut des enfants.

— Oui, allô.

— Claire, je ne voulais pas te manquer avant que tu partes. Je te souhaite une ostifi de belle soirée!

— Merci, Mandoline. Tu es fine d'avoir téléphoné.

Cent trente-six

Nicolas tranche des champignons. Je me place derrière lui, entoure sa taille de mes bras, me presse contre lui, l'embrasse dans le cou. Il roucoule en abandonnant le couteau sur le comptoir. Je demande :

— Qu'est-ce qu'on mange ?

— Tu n'avais pas le droit, répond-il. Tant pis pour toi. Tu vas payer !

Il se retourne, prend mon menton, le soulève, dépose un bisou sur mon nez :

— Tu n'avais pas le droit de me déconcentrer. Il reste le poivron à couper en fines lanières, ajoute-t-il en me tendant le couteau.

Je fais glisser les champignons dans le bol qui contient déjà des tranches d'oignons. Je prends le poivron et le dépose sur la planche. Le regard de Nicolas épouse chacun de mes gestes. Je fais exprès de prendre mon temps.

Nicolas vient derrière moi, m'enlace, m'embrasse dans le cou. Je lui dis :

— Moi, j'y arriverai, tu sais !

Il riposte :

— Je ne crois pas !

Je frissonne, mais je continue à découper le poivron. Tiens ! À l'intérieur, il y a un tout petit bébé piment. Je le montre à Nicolas. Nous échangeons un regard... chargé de sens. Je porte les mains à mon ventre.

Un souvenir surgit. Avec beaucoup d'intensité. Je suis vraiment toute petite. J'ai trouvé une photo de ma mère. Étendue sur une plage, elle est énorme. Je m'écrie : « Maman, tu ressembles à une baleine. »

Ma mère m'explique :

— Je pouvais bien être grosse, tu étais dans mon ventre !

Moi, je réplique :

— Est-ce que j'étais dans ton ventre parce que tu m'avais mangée ?

Ma mère rit.

Dehors, la corneille graille. Non, elle rit.

Nicolas s'agenouille devant moi, soulève mon chandail, bécote mon ventre. Ça me chatouille. Il enfouit sa tête sous mon chandail et parle tout bas. En espagnol. Je sens le mouvement de ses lèvres sur mon nombril, mais je ne comprends pas ce qu'il dit. Je lui demande :

— Qu'est-ce que tu racontes ?

— Une histoire, justement. Une très jolie histoire.

Nicolas se tait, sort la tête de mon chandail, le temps d'ajouter :

— Au cas où.

Sa tête retourne se cacher.

Je retire mon chandail, puis je glisse mes doigts dans ses cheveux noirs plutôt longs et vaguement bouclés.

— Qu'est-ce que ça signifie ? me demande l'homme à la noire crinière, troublé par le vêtement tombé à ses pieds.

Je lui explique :

— Ce n'est pas ce que tu crois.

— Et qu'est-ce que tu crois que je crois ? ajoute-t-il.

— Que je te fais des avances ?

— Ce n'est pas le cas ?

— Pas du tout.

— Tu fais quoi, alors ?

— Mes mains écoutent l'histoire que tu racontes et me la traduisent.

Elle est bizarre, la vie. On peut ne pas l'aimer, ne plus l'aimer, l'aimer un peu mais pas beaucoup, ne plus en vouloir, en vouloir plus, lui en vouloir. Elle s'en fout, la vie, elle donne des graines. Elle sait faire croître un arbre d'espérance qui, lui, donnera des fruits, enraciné dans le cœur qui bat, les bras tendus vers le ciel. Un beau jour, l'esprit se met à danser au rythme de ces battements et se surprend à sourire. Et vient l'instant où la peur n'a plus de prise sur les fondements de l'âme. Il est trop tard pour avoir peur, trop tard pour ne pas aimer. Trop tard, surtout, pour rebrousser chemin. Ce jour-là, on a envie de hurler très fort : « Merci. »

Fin ?

Pas tout à fait

Cent trente-sept

— Nicolas?
— Quoi, *mi amor?*
— Je dois te faire amende honorable.

Il retire son nez de mon nombril, me regarde, intrigué, et demande :

— À propos de quoi?
— Je t'ai menti.
— À propos de quoi?

Je le laisse languir. Un peu, mais pas trop. Je lui tends la main en fredonnant un air de tango.

— Des avances! Qu'est-ce que tu crois?

Cent trente-huit

E ncore ce maudit trac! Même si ça fait deux cent cinquante fois que je me retrouve devant un troupeau d'adultes ou d'ados.

Je déteste ces minutes chargées de peur folle qui précèdent le plongeon dans la rencontre. Pourquoi tu es là, d'abord? Pour semer une graine d'espoir dans le manque qui hurle. Pour partager mon espoir et mon amour de la vie.

Partager : avec mes mots chargés de souffle, me laisser tomber dans le regard des gens, en espérant glisser jusqu'à leur cœur pour le toucher vraiment. Et puis c'est tout.

Mon Dieu, Ma Déesse, Source de Vie, Lumière d'amour... Tu t'appelles comment, au fait? C'est une blague. Je m'en fous toujours autant. Mais si tu existes, sers-toi de moi. Sers-toi au max! Et fais de moi un instrument utile, ostifi!

— Bonjour. Je suis Mandoline, fondatrice de La Maison Penchée. Mais, d'abord, une alcoolique toxicomane qui se réhabilite, un jour à la fois.

On vous a dit que vous assisteriez à une conférence sur la prévention de la drogue et de l'alcool. Vous vous attendiez peut-être à ce que je vous parle des dangers de ces odieux poisons. Non. Je vais vous raconter une histoire. Une histoire cousue de fil d'or. Mais ce fil, je l'ai cherché longtemps avant de pouvoir recoudre les morceaux déchirés de l'histoire.

Cette histoire, elle s'intitule *La fille, la corneille, le tournesol et le toutou.*

Ma petite voix me souffle : «... et le piment.»
Je souris et j'ajoute :
— *... et le piment.*

~

— Ah ces fameuses coïncidences étranges! Un jour, des preuves scientifiques permettront peut-être d'expliquer ce phénomène. Pour le moment, nous devons composer avec le mystère. Et c'est très bien aussi, puisque ça met du piquant, comme dans les films et les romans.

Aujourd'hui, vous savez pourquoi je suis devenue une amie des corneilles et pourquoi les corbeaux ne me font plus peur. Vous savez pourquoi je me suis identifiée à la maison croche et, par la suite, à cette fleur qui se tourne vers le soleil pour grandir. Chaque été, il y a un petit champ de tournesols à La Maison Penchée, et ce n'est pas par hasard! J'ai gardé les graines de celui qui a poussé dans l'asphalte et je les ai semées dans une plate-bande, le printemps suivant. J'ai récupéré les graines des fleurs qui ont poussé et je les ai semées dans le jardin de La Maison Penchée.

L'effet tournesol n'est pas une théorie scientifique. C'est un poème que la vie a écrit sous la fenêtre de ma chambre. Si cette poésie vivante m'a fourni autant d'espoir, c'est à cause du sens que j'y ai perçu, bien entendu. Impossible de vérifier dans un corrigé si la réponse est vraie ou fausse, mais cette petite voix intérieure, qu'on appelle intuition ou intelligence du cœur, elle m'assure que c'est la bonne pour moi.

Ce que je vous ai raconté, ce n'est pas LA vérité. C'est mon histoire. Alors prenez ce qui vous plaît et laissez tomber le reste, d'accord?

Je ne saurai probablement jamais jusqu'où va le fond des choses de cette vie. Mais à cette profondeur, c'est-à-dire du fond du cœur, et à ce stade-ci de mes connaissances, je suis sûre d'une chose : la vie est belle, ostifi !

En terminant, je vous laisse avec la prière la plus courte et la plus efficace que je connaisse : « Merci. »

Merci

À ce trio d'hommes formidables chez nous : Jean, pour son appui de tous les instants, dans toutes les étapes de la vie et du roman, Alexis, pour ses mots d'enfant prêtés à Mandoline, et Vincent, grand frère merveilleux et gardien réel d'un petit ange turbulent pas du tout fictif.

À Jean-François Vézina, parce qu'il était une fois un roman, *Sauve-moi comme tu m'aimes,* qui se trouva un frère du côté de l'essai : *Se réaliser dans un monde d'images, À la recherche de son originalité,* Montréal, Les Éditions de l'homme, 2004. Et la romancière partagea, avec un grand bonheur, une partie du voyage au pays de la réflexion et de l'écriture en compagnie d'un auteur-psychologue à la grande ouverture de cœur et d'esprit.

À cette équipe formidable de Québec Amérique : Anne-Marie, Isabelle, Geneviève, Anouschka, Marie-Josée, Diane, Danièle, Carla, Louise, Lyne, Isabelle, Stéphanie, Normand, Luc et Monsieur-Fortin-au-loin.

À Suzanne Aubert, pour sa générosité et pour le petit coquelicot, et Rollande Boivin, pour son amitié et son humanité.

Aux merveilleux membres des fraternités Alcooliques anonymes et Alanon que j'ai eu le privilège de connaître.

À Daniel La Roche, de la Régie régionale de la santé et des services sociaux de Québec.

À Jocelyne Pascal, pour mon initiation au billard, et à ses deux poissons, qui sont devenus des personnages de mon roman.

À Sonia Sarfati, qui a cru à ce roman bien avant que je commence à l'écrire.

À Anna, Dominique alias Super Nounou, Laurent, Madeleine, Martin, Sophie, Suzanne-l'amie-des-oiseaux, Lise, Danielle, Zoé, Marie-Thérèse, Céline, Sandrine, l'impitoyable Marie et Valérie.

L'auteure remercie Jean-Pierre Ferland d'avoir interprété la magnifique chanson *Écoute pas ça* au mariage de Marie-Loup et Octave. La réplique «Le Bon Dieu qui fait l'Irlande et la Bosnie, quand il s'excuse, il fait des amoureux» est extraite de la chanson *Il faut des amoureux* que l'on trouve sur l'album *Écoute pas ça*. Paroles : Jean-Pierre Ferland. Musique : Jean-Pierre Ferland, Bob Cohen, Alain Leblanc.

Ressources
Drogue : aide et référence
(514) 527-2626 ou 1-800-265-2626
Toxquébec
www.toxquebec.com

Bibliothèque de Mandoline

ANCELIN SCHÜTZENBEREGER, Anne, *Aïe, mes aïeux!*, Paris, Desclée de Brouwer/La méridienne, 1993.

BARRY, Catherine, *Des femmes parmi les apôtres, 2000 ans d'histoire occultée*, Montréal/ Québec, Musée de la civilisation/Éditions Fides, Les grandes conférences, 1997.

CAPRA, Fritjof, STEINDL-RAST, David, avec la participation de Thomas MATUS, *L'univers aux frontières de la science et de la spiritualité*, Paris, Sand, 1994.

CYRULNIK, Boris, *Un merveilleux malheur*, Paris, Odile Jacob poches, 2002.

DESCHAMPS, Chantal, *Le chaos créateur*, Montréal, Guérin, 2002.

DOSSEY, Dr Larry, *Le surprenant pouvoir de la prière, une étude rigoureuse qui fusionne science et psychologie*, Paris, Guy Trédaniel Éditeur, 1997.

EINSTEIN, Albert, *Comment je vois le monde*, Paris, Flammarion, Champs, 1979.

GOLEMAN, Daniel, *L'intelligence émotionnelle, Accepter ses émotions pour développer une intelligence nouvelle*, Paris, Robert Laffont, 1997.

HILLEMAN, James, *Le code caché de votre destin*, Paris, Robert Laffont, S.A., 1999.

HUMBERT, Elie G., *L'homme aux prises avec l'inconscient, Réflexions sur l'approche jungienne*, Paris, Albin Michel, Espaces libres, 1994.

HUMBERT, Elie G., *Jung*, Paris, Presses Pocket, Agora, Éditions universitaires, 1983.

JUNG, C.G., *Ma vie, Souvenirs, rêves et pensées*, Recueillis par Aniéla Jaffé, Paris, Gallimard, Folio, 1973.

KESSEL, Joseph, *Avec les alcooliques anonymes*, Paris, Gallimard/Lacombe, 1985.

PARISIEN, Diane, *L'imagerie synergique en enseignement de la création littéraire*, Montréal, Guérin universitaire, 1993.

PINKOLA ESTES, Clarissa, *Femmes qui courent avec les loups, Histoires et mythes de l'archétype de la femme sauvage*, Paris, Grasset, 1996.

REEVES, Hubert, *L'heure de s'enivrer, L'univers a-t-il un sens?*, Paris, Seuil, Science ouverte, 1986.

SERVAN-SCHREIBER, David, *Guérir le stress, l'anxiété et la dépression sans médicaments ni psychanalyse*, Paris, Robert Laffont, Réponses, 2003.

VÉZINA, Jean-François, *Les hasards nécessaires*, Montréal, Éditions de l'homme, 2001.

Alateen-Un jour à la fois, New York, Al-Anon Family Group Headquarters Inc., 1988.

De la survie au rétablissement, Une enfance dans le foyer d'une personne alcoolique, Montréal, Les groupes familiaux Al-Anon pour les familles et les amis des alcooliques, 1996.

Dialogues avec l'ange, un document recueilli par Gitta Mallasz, Paris, Aubier, édition intégrale, 1990.

Le courage de changer, Al-Anon un jour à la fois II, New York, Al-Anon Family Group Headquarters Inc., Le bureau des services mondiaux Al-Anon et Alateen, 1994.

Réflexions de Bill, Le mode de vie des A.A., Montréal, Alcoholics Anonymous World Services Inc., 1982.

Félix Vadeboncœur est un personnage fictif. Cependant, l'information contenue dans l'extrait de son essai *Et si le destin nous faisait signe par hasard?* est issue d'une recherche : les principaux ouvrages consultés sont cités dans la « Bibliothèque de Mandoline ».

La Lumière blanche de Sara Lemieux est publié aux éditions Québec Amérique, dans la collection Titan, mais il est signé Anique Poitras. Sara est l'héroïne de *Le Roman de Sara* publié aux éditions Québec Amérique, dans la collection Tous continents. Cette édition regroupe les titres *La Lumière blanche*, *La Deuxième Vie* et *La Chambre d'Éden* tomes 1 et 2 publiés dans la collection Titan.

Les paroles fredonnées par Mathilde, au chapitre 103, sont extraites de la chanson *Comme un petit coquelicot*, chantée par Mouloudji. Paroles : Raymond Asso. Musique : Claude Valéry.

Les propos de Pablo Verón sont extraits d'un document intitulé *Entretien avec Pablo Verón, Propos recueillis par Valérie Sanchou*, Paris-Janvier 1999, adaptés par Valérie Sanchou et Pablo Verón. On peut les trouver sur Internet : www.chez.com/lasalida

Le Petit Mando
ou *Dans mes mots à moi*

« Eh oui, me revoilà, car on en a jamais
fini de se dire au revoir.
Et je ne pourrais pas partir
sans vous faire mes excuses
d'un striptease où j'ôte mon costume,
ma peau, mon squelette pour vous montrer
mon âme toute nue. »

Jean Cocteau, *Autoportrait*

« Et moi qui trouvais
que Claire était obsédée
avec son coffre à bijoux-de-mots ! »

Mandoline

Amour : *À suivre...*

Ange : *1. Alexis : Petit ange magicien qui a délivré mon toutou. 2. Ange gardien : C'est comme un ami imaginaire mais qui nous protège pour de vrai. (Définition trouvée à l'âge de trois ans avec l'aide de mon père.) 3. Vincent : Gardien de l'ange qui a délivré mon toutou. Voir Bouche, Hoquet.*

Autodestruction : *Processus malsain qui consiste à dilapider le trésor que nous sommes parce que nous ne connaissons pas notre valeur.*

Baiser : *Pont suspendu au-dessus de la peur* pour aller dans le cœur* de l'autre.*

Bouche : *Fenêtre qui parle pour l'ange* gardien qui est en moi. (Définition trouvée quand j'avais trois ans.)*

Câlin : *Boîte magnifique avec de l'amour dedans. (Cette définition m'est venue en prenant ma fille Lou-Sépia pour la première fois dans mes bras.) Voir Corps.*

Cœur : *Composante de l'intelligence* extrêmement puissante et très respectueuse de son associée, la tête*. Le cœur suggère au lieu d'ordonner.*

Corbeau : *Symbole qui a joué le rôle du méchant oiseau de malheur dans une série de cauchemars. (L'expérience m'a appris à me méfier des interprétations hâtives et aidée à comprendre le sens de l'expression « Il y a toujours deux côtés à une médaille ».) Ne pas confondre avec corneille*. Voir Illumination, Intuition, Tournesol.*

Corneille : *Symbole très puissant qui a joué dans une série de synchronicités* un rôle à la fois principal et de soutien. (Aujourd'hui, je parle si bien la langue des corneilles qu'elles me répondent au lieu de se sauver quand je m'adresse à elles.) Ne pas confondre avec corbeau*.*

Corps : *Jolie enveloppe contenant un cœur* qui bat, une tête* qui pense et une âme qui sait où elle va. Voir Câlin.*

Courage : *J'aime bien cette définition entendue aux réunions A.A. : « Le courage, c'est la peur* qui fait ses prières. »*

Déesse/Dieu : *Tout, dans la création, a les composantes féminine et masculine. Alors, si Dieu existe, ça ne peut pas être uniquement constitué de masculin. Pourquoi il n'y a pas de mot français pour le signifier,* *et des figures en conséquence dans les religions officielles pour en rendre compte? Comme si cette puissance suprême avait des couilles pour donner sa semence, mais pas de ventre pour faire pousser les bébés, ni de seins pour les nourrir. Moi, ça me dérange en ostifi*! (Ma critique des grandes religions a beaucoup mûri depuis la naissance de notre fille Lou-Sépia.) Voir Ö.*

Dépasser : *(Être dépassé-e) Comme je me le dis très souvent : « Ce n'est pas parce qu'une chose nous dépasse que notre vie n'avance pas! » Petit slogan très utile en période de doute, d'incertitude, de questionnement...*

Désespoir : *Tomber en bas du Pont-La-Peur au lieu de le traverser.*

Équilibre : *À venir...*

Espoir/espérance : *1. Carburant. L'espoir est à la bibite humaine ce que l'essence est à l'auto. Peu importe le prix, sans lui, on n'avance pas, ostifi! 2. « Avoir des idées blanches »; quand il est question d'espoir. Voir Tournesol.*

Esprit : *(Cultiver son) Si c'est vraiment vrai que la pensée crée, autant être consciente de ce que je sème dans ce terreau fertile. Voir Spiritualité.*

Fil : *(d'or) Image symbolique qui m'a permis, à l'aide d'une aiguille, symbolique elle aussi, de recoudre les morceaux déchirés d'une histoire vraie.*

Foi : *Nécessité en ce qui me concerne; garder confiance malgré tout : même quand j'ai l'impression d'être dans la merde jusqu'au cou.*

Gazelle vache et folle (La) : *Surnom de l'ex du gars que j'aime, Léa, pour ne pas la nommer, qu'il me fait encore beaucoup de bien de prononcer en cachette.*

Grâce : *Cadeau inattendu, surprenant et très agréable que la vie* nous offre parfois, mais dont l'origine demeure scientifiquement inexplicable et c'est peut-être mieux ainsi. « Je n'essaie pas d'expliquer la grâce, mais je la laisse œuvrer. » María-Magdalena, mère de Nicolas et belle-mère extraordinaire. Voir Mystère, Synchronicité.*

Gratitude : *1. Remède non toxique qui me sort de ma noirceur. 2. Permet de multiplier le bonheur de façon très économique. Voir Prière, Merci.*

Hoquet : *C'est mon ange* gardien qui me donne des coups de pied dans le ventre. (Définition trouvée quand j'avais trois ou quatre ans.)*

Illumination : *Publicité commanditée par l'intuition* pour nous vendre une idée de génie qui peut changer notre vie*. (cf. : Assise sur un banc, j'ai eu un flash : le projet de La Maison Penchée. Je ne le savais pas encore, mais ma petite voix intérieure venait de m'indiquer clairement le chemin que je devais prendre. Spécial, quand même, parce qu'une fraction de seconde avant, je n'avais pas la moindre idée de ce que je voulais faire comme métier.)*

Inquiétude : *J'emprunte ici la devise de mon amie Claire : « Luxe au-dessus de mes moyens ».*

Intelligence : *Faculté caractérisant la bibite humaine, constituée de deux grandes puissances : l'une étant émotionnelle, l'autre, rationnelle. Si les principaux objectifs de cet empire sont la maximisation des chances de bonheur individuel et la rentabilisation de cette ressource naturelle à l'échelle collective, ces forces distinctes et complémentaires ont intérêt à s'unir pour réaliser notre projet de vie. (Cette définition m'a été inspirée à mon retour d'un séminaire sur la gestion des petites et moyennes entreprises.)*

Intuition (ou petite voix intérieure...) : *Part de moi qui sait exactement ce qui est bon pour moi et qui me le fait savoir parfois avec insistance. Côté tête*, ça peut ressembler à une idée ordinaire, mais côté cœur*, ça prend une tournure de conviction profonde. Voir Intelligence.*

Jésus : *Homme célèbre. Celui qui a dit : « Aime ton prochain comme toi-même » et « Laissez venir à moi les petits enfants. » J'essaie de ne pas l'oublier.*

Kaïros : *Chez les Grecs de l'Antiquité, dieu du moment opportun ; de nos jours, on dirait sans doute « du bon timing ». (Chose étonnante, Kaïros ne fait pas partie du Panthéon, vieux temple consacré à l'ensemble des dieux. Qui l'a exclu et pourquoi ? Je n'ai pas encore trouvé de réponses mais l'enquête se poursuit.)*

Lâcher prise : *Surtout, ne pas confondre avec « se défiler ». Capacité de laisser la vie* se mêler de ses affaires (ce qui, bien sûr, m'inclut tout* *entière). Moi, mon travail, c'est de collaborer avec elle, en essayant d'être un instrument utile au service de sa volonté.*

Larmes *: « Jus de peine » C'est un enfant, à la garderie de Maria-Magdalena, qui a donné cette définition que je trouve géniale.*

Lumière Blanche(La) *: Roman de mon amie Sara. La lecture est un phénomène surprenant : j'ai pleuré davantage en lisant cette histoire que lorsque les événements se sont produits dans la réalité. Et dans la réalité, je n'avais pas cru à cette histoire...*

Méditation *: L'un des moyens qui facilite la transmission des messages de l'intuition. D'abord mettre le piton de la tête* à off.*

Merci *: Courte prière, facile et très efficace, menant tout droit à la gratitude*.*

Mystère *: Ce n'est pas parce qu'une chose est inexplicable qu'elle n'existe pas. (Mais cette chose inexplicable et très intrigante a des chances de nous chicoter beaucoup et longtemps si on se casse la tête pour essayer de la comprendre.) Met du piquant dans la vie*, comme dans les films et les romans. Voir Grâce,Synchronicité.*

Ö: *En langue hongroise, mot signifiant il/elle. À mon avis, c'est le pronom le plus intelligent pour définir la notion divine, puisqu'il comporte à la fois les aspects féminin et masculin. N'a pas d'équivalence en français. Pourquoi ? Les Français sont-ils plus machos que les Hongrois ? (Merci, Jennifer, pour cette information. La mère de mon amie est Hongroise.) Voir Déesse/Dieu.*

Néant *: (le) Ne pas confondre avec l'infini, ostifi.*

Ostifi *: 1. Mon patois. 2. Petit lien m'unissant à mon père, mais pendant des années, je ne le savais pas.*

Pardon *: Quand la blessure est guérie... accepter d'être heureuse avec la cicatrice. (Est-ce que je t'ai pardonné, Bob ? Un jour, je l'espère, j'en serai sûre.)*

Partager *: Avec mes mots chargés de souffle, me laisser tomber dans le regard des gens, en espérant glisser jusqu'à leur cœur pour le toucher vraiment.*

Peur *: Visage à deux faces : 1. Peut nous sauver la vie en cas de danger réel. (Par exemple : Vous aimez quelqu'un de violent, et la petite voix* *de l'intuition vous souffle :* « *Sacre ton camp !* ») *2. Peut nous empoi-sonner la vie* si elle n'est pas fondée ; ce poison, ne l'oublions pas, est une gracieuseté de la salope* intérieure pour nous maintenir sous son emprise. (Par exemple : Vous aimez quelqu'un de bien, qui vous veut et vous fait du bien, et la salope intérieure vous hurle :* « *Sacre ton camp !* ») *Voir Autodestruction, Courage, Réhabilitation.*

Phénix : *Fille fabuleuse qui renaît de ses cendres pour apprendre à aimer.*

Prière : *Demande ou remerciement exprimé à la source de vie* (peu importe comment on l'appelle). La plupart du temps, j'ai recours au remerciement parce que c'est la forme de prière la plus efficace que j'ai trouvée. Mais quand j'ai besoin de demander, la prière que j'utilise est celle-ci :* « *Mon Dieu*, Ma Déesse, Ö, Source de Vie*, Lumière d'amour*... Tu t'appelles comment, au fait ? C'est une blague. Je m'en fous toujours autant. Mais si tu existes, sers-toi de moi. Sers-toi au max ! Et fais de moi un instrument utile, ostifi !* » *Voir Gratitude.*

Réhabilitation : *1. Envoyer promener ma salope* intérieure dont le but est de me bousiller l'existence. 2. Découvrir ma valeur et l'assumer, en traversant chaque Pont-La-Peur* rencontré sur ma route.*

Rechute : *Retour dans les bas-fonds qu'on avait pourtant réussi à quitter.*

Salope intérieure : *Celle qui travaille bénévolement et aveuglément pour l'autodestrution*.*

Serendipitoune : *Mot inventé par moi, pour quelqu'un comme moi ; qui a le don et le bonheur de tomber par hasard sur ce dont j'ai vraiment besoin. Voir Tournesol.*

Serendipipty : *(En français serendipitie ou serendipité, ou encore serendipidité, mais les dictionnaires n'en font pas de cas.) Mot inventé, en 1754, par le philosophe anglais Sir Horacio Walpole ; faculté de trouver par hasard ce dont on a besoin. 2. Phénomène pour l'instant inexplicable scientifiquement mais utile en ostifi dans la vie de tous les jours. Ça, c'est moi qui le dis !*

Sobriété : *Se dévoiler les secrets qu'on s'était cachés parce qu'on avait peur qu'ils nous tuent. Ressentir les émotions cachées dans les secrets parce qu'on avait peur qu'elles nous tuent... Tout ça, à jeun !*

Spiritualité : *Aux grands mots, mes petits moyens, mais j'y tiens :*
Prendre de l'expansion par en dedans.
Synchronicité : *Langue étrange que la vie parle à travers des coïnci-*
dences chargées de sens.
Tango : *Apprendre à marcher avec l'autre, dans l'espérance, sur un air*
d'aller de l'avant. Mais d'abord, il faut se tenir debout. (Et pourquoi
pas cette définition pour l'amour ?)
Tête : *Composante de l'intelligence*. Compétente, elle applique les*
recommandations du cœur*. Sinon, elle fout le bordel : elle se prend
pour une autre, nous fait perdre un temps fou, peut nous faire passer
à côté de nos rêves les plus précieux, et carrément nous faire perdre
les pédales. À surveiller, donc ! « Nous devons faire attention de ne pas
faire de l'intellect notre dieu ; il a bien sûr, des muscles puissants, mais
pas de personnalité. Il ne peut pas commander ; seulement servir »,
Albert Einstein, citation pigée dans le coffre à bijoux-de-mots de Claire.
Tournesol : *1. (Au sens propre) Fleur qui a poussé dans l'asphalte.*
C'est probablement la corneille* qui s'était frappée à ma fenêtre qui
a échappé la graine. 2. (Au sens figuré) Fleur symbolisant l'espérance*
et sa propagation. Emblème de ma vie dont la devise est : « Il n'y a
rien de trop beau pour toi, ma serendipitoune* ! » (Ce slogan est collé
sur la porte de mon frigo. Chaque fois que je m'apprête à ouvrir la
porte, je m'assure de nourrir aussi mon esprit*.) 3. Fleur héroïne de
l'histoire* cousue de fil* d'or que je raconte en conférence.
Toutou : *Par où je commence ? Par le bout qui dépasse, dirait ma*
mère. 1. Objet bourré de bonnes intentions d'amour et symbole de
trahison. 2. M'a sauvé la vie selon le thérapeute qui m'avait suivie
en désintoxication et l'avenir lui a donné raison. 3. L'un des héros
de l'histoire cousue de fil* d'or que je raconte dans mes conférences.
4. M'a permis de réparer un grand regret avec ma petite sœur. 6.
Signifie : le bonheur de l'attachement, la douleur de l'arrachement.
Voir Corbeau, Corneille.
Trac : *Peur* folle qui précède le plongeon dans la rencontre.*
Vérité : *Question piège à laquelle je ne répondrai pas, au cas où*
quelqu'un mettrait la main sur ma réponse et croirait que c'est LA

bonne. *(Avis aux curieux : Sacrée bonne question qui mérite réflexion, par contre. Mais puisque ces réponses sont personnelles, trouvez les vôtres!)*
Vie : *Probablement ma plus grande certitude : cette affaire-là, qui donne des graines et sait les faire pousser, est belle en ostifi* !*

«*Je jouais de mon corps comme d'un instrument de musique, un air connu, toujours le même. Cet air était malsain.*

** *Aujourd'hui, c'est de mon âme que je joue, chaque jour un air nouveau: berceuse, blues ou tango. Mais aussi, berblugo*.*»**

Mandoline

Berblugo : *Mot inventé par moi signifiant mélange de berceuse, de blues et de tango. Mélodie qu'affectionne particulièrement mon âme quand elle sait où elle va, que mon cœur me chante, parfois tout haut, parfois tout bas, et que mon corps danse, avec plaisir et aisance.*

  Tiens, ça pourrait être aussi ma définition de l'équilibre!

Le Petit _____
ou *Dans mes mots à moi*

_____

_____

_____

_____

_____

_____

_____

_____

_____

_____

_____

_____

_____

_____

SAUVE-MOI COMME TU M'AIMES

Paroles et musique : Anique Poitras

SAUVE-MOI COMME TU M'AIMES*

Paroles et musique : Anique Poitras

1. La Chute du corbeau
2. Mando Tango
3. L'Empreinte de la corneille

Voix : Anique Poitras
Piano : Christine Boillat
Violon : Sylvain Neault
Contrebasse : Pierre Côté
Accordéon : Alfred Marin
Saxophone : Catherine Lavoie
Percussions : Marcel M. Poitras, Jean Frenette
Corneille : Anique Poitras

Réalisation : Christine Boillat, Anique Poitras, Marcel M. Poitras
Arrangements et direction musicale : Christine Boillat
Prise de son : Marcel M. Poitras
Mixage et mastering : Le Groupe Sismique

Un merci particulier à René Talbot, Anne-Marie Villeneuve et Luc Roberge

---

*Ce titre est un vers du poème *Jugement* de Marie Noël.

SAUVE-MOI COMME TU M'AIMES

À Valérie

Premier temps : La Chute du corbeau

Je t'aime
Mais je peux pas
Vivre ça
Je peux pas, je peux pas
Moi, je m'aime pas

Je t'aime
C'est un couteau à une lame
Juste une lame
Et beaucoup de larmes
Par en dedans
Tout un océan de blessures
Y a que ça pour moi qui est sûr
De l'encre rouge indélébile
Qui marque pour toujours :
Tu vas y goûter, ma tabarnaque
Même si c'est pas des claques dans face
Y a des vents fous furieux dans l'cœur
Capables de bousiller tous les bonheurs

Moi si je m'ouvre
J'ai l'impression
D'être dépecée par un boucher
Qui porte des gants
Et qui s'amuse avec mon sang
Qui ne fait qu'une bouchée de moi
De mes rêves et de mes émois
P'tit paquet d'os dans une assiette

C'est ça qui reste, tu vois
C'est tout c'qui reste de moi

Je t'aime
Mais je peux pas
Vivre ça
Je peux pas, je peux pas
Moi, je m'aime pas

Y a un corbeau
Dans mes cauchemars
Pour me rappeler
Qu'le désespoir
Toujours fidèle au rendez-vous
Bouffe l'espérance par les deux bouts
Et me laisse seule
Avec de quoi
Descendre plus bas
Au fond des choses qui ne vont pas
Mais ces choses-là
Je veux pas les voir, ça fait trop mal
Alors je bois
Pour pas mourir, je bois

Elle est où
La fameuse lumière
Au bout de ces tunnels dont on parle tant
Je suis partante, j'ouvre les yeux
Mais j'y vois qu'du feu
Il ravage tous mes espoirs
Les pieds dans les cendres brûlantes
Je marche dans le soir
Un soir qui n'en finit jamais

Pour moi d'être noir
Y a pas d'matin pour les putains

Je t'aime
Mais je peux pas
Vivre ça
Je peux pas, je peux pas
Moi, je m'aime pas
Ta la, la, la
Je m'aime pas

Deuxième temps : L'Empreinte de la corneille

Y a une corneille
À mon réveil
Qui me rappelle
Que les appels
Sont pas tous entendus
Du premier coup
Des malentendus peuvent donner lieu
À des p'tits jeux tordus
Qui faussent les données
La chance, il faut se la donner
Chaque médaille a ses deux côtés
Faut savoir lire entre les lignes du désespoir
Pour voir la p'tite lumière qui brille dans le noir

Même si on y voit presque rien
Faut s'accrocher à ces lueurs
Qui nous annoncent le matin
Dans la tiédeur
Ça a l'air de rien, au début
Mais c'est déjà plus d'la glace qui gèle tout dans le cœur
Et qui se brise pour engloutir
Tous les bonheurs qui passent par là
Comme des pêcheurs qui se noient

Si tu m'aimes
Sauve-moi
Sauve-moi, sauve-moi
Comme tu m'aimes

Y a pas d'potion magique pour le bonheur
Moi, l'seul remède qui est pas toxique
Qui m'sort de ma noirceur
C'est l'habitude d'la gratitude
Ça a l'air de rien, mais dire merci pour c'qui va bien
Même si tout le reste va pas comme je le veux
Ça change la perspective, je suis moins négative
Et c'qui va bien est contagieux
Ça laisse moins d'place pour les bibites
On dirait que c'est mathématique

Merci la vie de m'avoir donné ma maman
Merci maman de m'avoir donné la vie
Merci papa d'être passé
Même si c'était pas très long
C'que tu m'as laissé c'était bon
Même si je me suis perdue en cours de route
Au bout de ma déroute
J'ai trouvé une fille qui a d'l'allure
Et je vais l'aimer je le jure

Comme le souhaitait le p'tit Jésus
Quand il disait, ben convaincu :
« Eh ! Aime ton prochain comme toi-même ! »

Si tu m'aimes
Sauve-moi
Sauve-moi, sauve-moi
Comme tu m'aimes
Ta la, la, la, la
Sauve-moi

Y a pas d'réponses toutes faites
Pour les questions pièges que la vie nous pose
Y a pas de corrigé pour vérifier
Si nos réponses sont vraies ou fausses
Y a personne à part nous pour trouver à l'intérieur
Le baromètre capable de mesurer les valeurs
Qui donnent un sens à l'existence
À commencer par la confiance

Qu'on croie en Dieu
Qu'on y croie pas
Qu'on l'appelle Dieu
Qu'on l'appelle pas
Ça moi, je m'en fous, la vraie religion est en nous
Moi ma prière se tient debout
Dans l'sanctuaire de mes artères
Et elle est fière
Moi ma prière, c'est juste un mot
Il est tout p'tit et c'est merci
Du fond du cœur, merci

Les paroles des chansons sont à la page 379.